# 366 JOURS

## JOURNAL DE GRATITUDE

### AVEC 366 POSITIF

### RÉFLEXIONS

### POUR HOMMES FEMMES

### (FRANÇAIS, NON DATÉ)

PROFESSEUR ANDY

AUTEUR

# JOURNAL DE GRATITUDE 366 JOURS

ISBN (couverture souple) : 979-8-9871746-8-5

**Disponible en 7 Langues**

ISBN (livre imprimé en Anglais) :    979-8-9871746-6-1
ISBN (Livre imprimé en Français) :  979-8-9871746-8-5
ISBN (Livre imprimé en Espagnol) :  979-8-9871746-7-8
ISBN (Livre imprimé en Allemand) :  979-8-9871746-9-2
ISBN (Livre imprimé en Italien) :    979-8-9896366-7-9
ISBN (livre imprimé en Hindi) :      979-8-9896366-9-3
ISBN (Livre imprimé en Chinois) :   979-8-9896366-8-6

E-mail des éditeurs A2 Best Seller : a2publishers@yahoo.com

Imprimé aux États-Unis d'Amérique

## COMMENT UTILISER CE JOURNAL

1.  Commencez chaque journée en ouvrant le journal au jour ou à la page qui vous intéresse.

2.  Lisez la réflexion quotidienne et prenez un moment pour réfléchir à sa signification. Réfléchissez à la manière dont cela s'applique à votre vie.

3.  Écrivez au moins une chose pour laquelle vous êtes reconnaissant en rapport avec la réflexion, comme une personne, une expérience ou un acte simple auquel vous pouvez penser.

4.  Utilisez l'espace prévu pour écrire une note personnelle, une affirmation ou des objectifs réalisables pour la journée à venir.

5.  Au fil du temps, vous cultiverez un état d'esprit positif pour la croissance, un sentiment de gratitude, la narration d'histoires et des souvenirs édifiants.

La cohérence est la clé. Prenez l'habitude quotidienne de vous engager dans votre journal.

# JOUR 1

**DATE:__/__/___**

## L M M J V S D

### BIENVENUE DANS VOTRE JOURNAL QUOTIDIEN

### EXPRIMEZ VOTRE GRATITUDE AUJOURD'HUI
### POUR ÊTRE EN VIE ET EN BONNE SANTÉ

_____

ÉCRIVEZ UNE NOTE PERSONNELLE OU UN OBJECTIF

_____

_____

_____

# JOUR 2

DATE:__/__/___

# L M M J V S D

## BIENVENUE DANS VOTRE JOURNAL QUOTIDIEN

## EXPRIMEZ VOTRE GRATITUDE AUJOURD'HUI POUR VOS CONNAISSANCES

_____

ÉCRIVEZ UNE NOTE PERSONNELLE OU UN OBJECTIF

_____

_____

_____

# JOUR 3

DATE:__/__/___

# L M M J V S D

## BIENVENUE DANS VOTRE JOURNAL QUOTIDIEN

## EXPRIMEZ VOTRE GRATITUDE AUJOURD'HUI
## POUR VOTRE RÉUSSITE DANS LA VIE

_____

ÉCRIVEZ UNE NOTE PERSONNELLE OU UN OBJECTIF

_____

_____

_____

# JOUR 4　DATE:__/__/___

## L M M J V S D

## BIENVENUE DANS VOTRE JOURNAL QUOTIDIEN

## EXPRIMEZ VOTRE GRATITUDE AUJOURD'HUI
## POUR VOS IDÉES CRÉATIVES

_____

ÉCRIVEZ UNE NOTE PERSONNELLE OU UN OBJECTIF

_____

_____

_____

# JOUR 5

DATE:__/__/___

# L M M J V S D

## BIENVENUE DANS VOTRE JOURNAL QUOTIDIEN

## EXPRIMEZ VOTRE GRATITUDE AUJOURD'HUI
## POUR VOTRE ATTITUDE POSITIVE

_____

ÉCRIVEZ UNE NOTE PERSONNELLE OU UN OBJECTIF

_____

_____

# JOUR 6

DATE: __/__/___

L M M J V S D

## BIENVENUE DANS VOTRE JOURNAL QUOTIDIEN

## EXPRIMEZ VOTRE GRATITUDE AUJOURD'HUI POUR AVOIR SURMONTÉ LA PEUR

_____

ÉCRIVEZ UNE NOTE PERSONNELLE OU UN OBJECTIF

_____

_____

_____

# JOUR 7

**DATE: __/__/___**

## L M M J V S D

BIENVENUE DANS VOTRE JOURNAL QUOTIDIEN

EXPRIMEZ VOTRE GRATITUDE AUJOURD'HUI

POUR VOS COMPÉTENCES

_____

ÉCRIVEZ UNE NOTE PERSONNELLE OU UN OBJECTIF

_____

_____

_____

# JOUR 8

DATE:__/__/___

# L M M J V S D

## BIENVENUE DANS VOTRE JOURNAL QUOTIDIEN

## EXPRIMEZ VOTRE GRATITUDE AUJOURD'HUI
## POUR AVOIR FIXÉ DE NOUVEAUX OBJECTIFS

_____

ÉCRIVEZ UNE NOTE PERSONNELLE OU UN OBJECTIF

_____

_____

_____

# JOUR 9

DATE: __/__/___

# L M M J V S D

## BIENVENUE DANS VOTRE JOURNAL QUOTIDIEN

## EXPRIMEZ VOTRE GRATITUDE AUJOURD'HUI

## POUR VOTRE TRANQUILLITÉ D'ESPRIT

_____

ÉCRIVEZ UNE NOTE PERSONNELLE OU UN OBJECTIF

_____

_____

_____

# JOUR 10

DATE:__/__/___

# L M M J V S D

## BIENVENUE DANS VOTRE JOURNAL QUOTIDIEN

## EXPRIMEZ VOTRE GRATITUDE AUJOURD'HUI
## POUR AVOIR SURMONTÉ LA NÉGATIVITÉ

_____

ÉCRIVEZ UNE NOTE PERSONNELLE OU UN OBJECTIF

_____

_____

_____

# JOUR 11 DATE: __/__/___

## L M M J V S D

BIENVENUE DANS VOTRE JOURNAL QUOTIDIEN

EXPRIMEZ VOTRE GRATITUDE AUJOURD'HUI

POUR VOTRE FAMILLE

_____

ÉCRIVEZ UNE NOTE PERSONNELLE OU UN OBJECTIF

_____

_____

_____

# JOUR 12

DATE:__ / __ / ___

# L M M J V S D

## BIENVENUE DANS VOTRE JOURNAL QUOTIDIEN

## EXPRIMEZ VOTRE GRATITUDE AUJOURD'HUI POUR VOTRE SAGESSE

_____

ÉCRIVEZ UNE NOTE PERSONNELLE OU UN OBJECTIF

_____

_____

_____

# JOUR 13 DATE:__/__/___
## L M M J V S D

BIENVENUE DANS VOTRE JOURNAL QUOTIDIEN

EXPRIMEZ VOTRE GRATITUDE AUJOURD'HUI
POUR UNE RÉALISATION RÉCENTE

_____

ÉCRIVEZ UNE NOTE PERSONNELLE OU UN OBJECTIF

_____

_____

_____

# JOUR 14 DATE:__/__/___
## L M M J V S D

BIENVENUE DANS VOTRE JOURNAL QUOTIDIEN

EXPRIMEZ VOTRE GRATITUDE AUJOURD'HUI

POUR VOS BIENS

_____

ÉCRIVEZ UNE NOTE PERSONNELLE OU UN OBJECTIF

_____

_____

_____

# JOUR 15 DATE:__/__/___
## L M M J V S D

BIENVENUE DANS VOTRE JOURNAL QUOTIDIEN

EXPRIMEZ VOTRE GRATITUDE AUJOURD'HUI POUR L'AIR PUR QUE VOUS RESPIREZ

_____

ÉCRIVEZ UNE NOTE PERSONNELLE OU UN OBJECTIF

_____

_____

_____

# JOUR 16

DATE: __/__/___

## L M M J V S D

BIENVENUE DANS VOTRE JOURNAL QUOTIDIEN

EXPRIMEZ VOTRE GRATITUDE AUJOURD'HUI
POUR VOTRE FOI ET VOS CROYANCES

_____

ÉCRIVEZ UNE NOTE PERSONNELLE OU UN OBJECTIF

_____

_____

_____

# JOUR 17 DATE: __/__/___
## L M M J V S D

## BIENVENUE DANS VOTRE JOURNAL QUOTIDIEN

## EXPRIMEZ VOTRE GRATITUDE AUJOURD'HUI POUR VOTRE FOYER

_____

## ÉCRIVEZ UNE NOTE PERSONNELLE OU UN OBJECTIF

_____

_____

_____

# JOUR 18
### DATE: __/__/___

# L M M J V S D

## BIENVENUE DANS VOTRE JOURNAL QUOTIDIEN

## *

## EXPRIMEZ VOTRE GRATITUDE AUJOURD'HUI
## POUR VOTRE JOIE

_____

ÉCRIVEZ UNE NOTE PERSONNELLE OU UN OBJECTIF

_____

_____

_____

# JOUR 19

DATE:__/__/___

L M M J V S D

BIENVENUE DANS VOTRE JOURNAL QUOTIDIEN

EXPRIMEZ VOTRE GRATITUDE AUJOURD'HUI

POUR ÊTRE QUI VOUS ÊTES

_____

ÉCRIVEZ UNE NOTE PERSONNELLE OU UN OBJECTIF

_____

_____

_____

# JOUR 20

DATE: __/__/___

# L M M J V S D

## BIENVENUE DANS VOTRE JOURNAL QUOTIDIEN

## EXPRIMEZ VOTRE GRATITUDE AUJOURD'HUI POUR VOTRE GENTILLESSE ENVERS LES AUTRES

_____

ÉCRIVEZ UNE NOTE PERSONNELLE OU UN OBJECTIF

_____

_____

_____

# JOUR 21 DATE:__/__/___

## L M M J V S D

### BIENVENUE DANS VOTRE JOURNAL QUOTIDIEN

### EXPRIMEZ VOTRE GRATITUDE AUJOURD'HUI
### POUR UN MODE DE VIE ÉQUILIBRÉ

_____

ÉCRIVEZ UNE NOTE PERSONNELLE OU UN OBJECTIF

_____

_____

_____

# JOUR 22

DATE:__/__/___

## L M M J V S D

### BIENVENUE DANS VOTRE JOURNAL QUOTIDIEN

### EXPRIMEZ VOTRE GRATITUDE AUJOURD'HUI POUR VOTRE HUMILITÉ

_____

ÉCRIVEZ UNE NOTE PERSONNELLE OU UN OBJECTIF

_____

_____

# JOUR 23

DATE:__/__/___

# L M M J V S D

## BIENVENUE DANS VOTRE JOURNAL QUOTIDIEN

## EXPRIMEZ VOTRE GRATITUDE AUJOURD'HUI
## POUR VOTRE SÛRETÉ ET VOTRE SÉCURITÉ

_____

ÉCRIVEZ UNE NOTE PERSONNELLE OU UN OBJECTIF

_____

_____

_____

# JOUR 24

DATE:__/__/___

## L M M J V S D

## BIENVENUE DANS VOTRE JOURNAL QUOTIDIEN

## EXPRIMEZ VOTRE GRATITUDE AUJOURD'HUI POUR AVOIR ÉTÉ AIMÉ

_____

ÉCRIVEZ UNE NOTE PERSONNELLE OU UN OBJECTIF

_____

_____

_____

# JOUR 25 DATE:__/__/___

## L M M J V S D

## BIENVENUE DANS VOTRE JOURNAL QUOTIDIEN

## EXPRIMEZ VOTRE GRATITUDE AUJOURD'HUI POUR VOS RESSOURCES

_____

### ÉCRIVEZ UNE NOTE PERSONNELLE OU UN OBJECTIF

_____

_____

_____

# JOUR 26

DATE:__/__/___

# L M M J V S D

BIENVENUE DANS VOTRE JOURNAL QUOTIDIEN

EXPRIMEZ VOTRE GRATITUDE AUJOURD'HUI

POUR VOTRE BELLE MAISON

_____

ÉCRIVEZ UNE NOTE PERSONNELLE OU UN OBJECTIF

_____

_____

_____

# JOUR 27

DATE:__/__/___

L M M J V S D

BIENVENUE DANS VOTRE JOURNAL QUOTIDIEN

EXPRIMEZ VOTRE GRATITUDE AUJOURD'HUI POUR AVOIR GÉRÉ VOTRE TEMPS JUDICIEUSEMENT

_____

ÉCRIVEZ UNE NOTE PERSONNELLE OU UN OBJECTIF

_____

_____

_____

# JOUR 28 DATE:__/__/___

## L M M J V S D

### BIENVENUE DANS VOTRE JOURNAL QUOTIDIEN

### EXPRIMEZ VOTRE GRATITUDE AUJOURD'HUI
### POUR VOUS ÊTRE RÉVEILLÉ TOUS LES JOURS

_____

ÉCRIVEZ UNE NOTE PERSONNELLE OU UN OBJECTIF

_____

_____

_____

# JOUR 29

DATE:__/__/___

# L M M J V S D

BIENVENUE DANS VOTRE JOURNAL QUOTIDIEN

EXPRIMEZ VOTRE GRATITUDE AUJOURD'HUI

POUR VOTRE BONHEUR GÉNÉRAL

_____

ÉCRIVEZ UNE NOTE PERSONNELLE OU UN OBJECTIF

_____

_____

_____

# JOUR 30

**DATE:__/__/___**

# L M M J V S D

## BIENVENUE DANS VOTRE JOURNAL QUOTIDIEN

## EXPRIMEZ VOTRE GRATITUDE AUJOURD'HUI POUR DEUX CHOSES QUE VOUS APPRÉCIEZ

_____

ÉCRIVEZ UNE NOTE PERSONNELLE OU UN OBJECTIF

_____

_____

_____

# JOUR 31 DATE:__/__/___

## L M M J V S D

### BIENVENUE DANS VOTRE JOURNAL QUOTIDIEN

### EXPRIMEZ VOTRE GRATITUDE AUJOURD'HUI

### POUR QUELQU'UN QUI VOUS A AIDÉ

_____

ÉCRIVEZ UNE NOTE PERSONNELLE OU UN OBJECTIF

_____

_____

_____

# JOUR 32 DATE:__/__/___

## L M M J V S D

## BIENVENUE DANS VOTRE JOURNAL QUOTIDIEN

## EXPRIMEZ VOTRE GRATITUDE AUJOURD'HUI POUR VOS POINTS FORTS

_____

ÉCRIVEZ UNE NOTE PERSONNELLE OU UN OBJECTIF

_____

_____

_____

# JOUR 33

DATE: __/__/___

L M M J V S D

BIENVENUE DANS VOTRE JOURNAL QUOTIDIEN

EXPRIMEZ VOTRE GRATITUDE AUJOURD'HUI

POUR VOS SOUVENIRS PRÉFÉRÉS

_____

ÉCRIVEZ UNE NOTE PERSONNELLE OU UN OBJECTIF

_____

_____

_____

# JOUR 34

**DATE:__/__/___**

## L M M J V S D

### BIENVENUE DANS VOTRE JOURNAL QUOTIDIEN

### EXPRIMEZ VOTRE GRATITUDE AUJOURD'HUI

### POUR VOTRE AFFECTION

_____

ÉCRIVEZ UNE NOTE PERSONNELLE OU UN OBJECTIF

_____

_____

_____

# JOUR 35 DATE: __/__/___

## L M M J V S D

## BIENVENUE DANS VOTRE JOURNAL QUOTIDIEN

## EXPRIMEZ VOTRE GRATITUDE AUJOURD'HUI

## POUR VOTRE ATTITUDE POSITIVE

_____

ÉCRIVEZ UNE NOTE PERSONNELLE OU UN OBJECTIF

_____

_____

_____

# JOUR 36

DATE: __/__/___

L M M J V S D

BIENVENUE DANS VOTRE JOURNAL QUOTIDIEN

EXPRIMEZ VOTRE GRATITUDE AUJOURD'HUI POUR UN COLLÈGUE OU UN PARENT

_____

ÉCRIVEZ UNE NOTE PERSONNELLE OU UN OBJECTIF

_____

_____

_____

# JOUR 37

DATE:__/__/___

L M M J V S D

BIENVENUE DANS VOTRE JOURNAL QUOTIDIEN

EXPRIMEZ VOTRE GRATITUDE AUJOURD'HUI

POUR LES MAGNIFIQUES PAYSAGES

_____

ÉCRIVEZ UNE NOTE PERSONNELLE OU UN OBJECTIF

_____

_____

_____

# JOUR 38

DATE:__/__/___

# L M M J V S D

## BIENVENUE DANS VOTRE JOURNAL QUOTIDIEN

## EXPRIMEZ VOTRE GRATITUDE AUJOURD'HUI POUR VOTRE REPAS PRÉFÉRÉ

_____

## ÉCRIVEZ UNE NOTE PERSONNELLE OU UN OBJECTIF

_____

_____

_____

# JOUR 39 DATE:_/__/___

## L M M J V S D

BIENVENUE DANS VOTRE JOURNAL QUOTIDIEN

EXPRIMEZ VOTRE GRATITUDE AUJOURD'HUI

POUR UN ÊTRE CHER

_____

ÉCRIVEZ UNE NOTE PERSONNELLE OU UN OBJECTIF

_____

_____

_____

# JOUR 40

DATE:__/__/___

# L M M J V S D

## BIENVENUE DANS VOTRE JOURNAL QUOTIDIEN

## EXPRIMEZ VOTRE GRATITUDE AUJOURD'HUI POUR VOTRE INSPIRATION

_____

## ÉCRIVEZ UNE NOTE PERSONNELLE OU UN OBJECTIF

_____

_____

_____

# JOUR 41 DATE:__/__/___

## L M M J V S D

### BIENVENUE DANS VOTRE JOURNAL QUOTIDIEN

### EXPRIMEZ VOTRE GRATITUDE AUJOURD'HUI POUR VOS CONSEILS

_____

### ÉCRIVEZ UNE NOTE PERSONNELLE OU UN OBJECTIF

_____

_____

_____

# JOUR 42 DATE: __/__/___

## L M M J V S D

## BIENVENUE DANS VOTRE JOURNAL QUOTIDIEN

## EXPRIMEZ VOTRE GRATITUDE AUJOURD'HUI POUR VOTRE PROTECTION

_____

ÉCRIVEZ UNE NOTE PERSONNELLE OU UN OBJECTIF

_____

_____

_____

# JOUR 43 DATE:__/__/___

## L M M J V S D

BIENVENUE DANS VOTRE JOURNAL QUOTIDIEN

EXPRIMEZ VOTRE GRATITUDE AUJOURD'HUI POUR
UN MENTOR OU UN MODÈLE

_____

ÉCRIVEZ UNE NOTE PERSONNELLE OU UN OBJECTIF

_____

_____

_____

# JOUR 44

### DATE: __/__/___

## L M M J V S D

## BIENVENUE DANS VOTRE JOURNAL QUOTIDIEN

## EXPRIMEZ VOTRE GRATITUDE AUJOURD'HUI
## POUR VOTRE AMÉLIORATION PERSONNELLE

_____

ÉCRIVEZ UNE NOTE PERSONNELLE OU UN OBJECTIF

_____

_____

_____

# JOUR 45 DATE:__/__/___

## L M M J V S D

## BIENVENUE DANS VOTRE JOURNAL QUOTIDIEN

## EXPRIMEZ VOTRE GRATITUDE AUJOURD'HUI POUR VOTRE CROISSANCE PERSONNELLE

_____

ÉCRIVEZ UNE NOTE PERSONNELLE OU UN OBJECTIF

_____

_____

# JOUR 46

**DATE:** __/__/___

L M M J V S D

BIENVENUE DANS VOTRE JOURNAL QUOTIDIEN

EXPRIMEZ VOTRE GRATITUDE AUJOURD'HUI

POUR VOS CITATIONS INSPIRANTES

_____

ÉCRIVEZ UNE NOTE PERSONNELLE OU UN OBJECTIF

_____

_____

_____

# JOUR 47 DATE:__/__/___

## L M M J V S D

## BIENVENUE DANS VOTRE JOURNAL QUOTIDIEN

## EXPRIMEZ VOTRE GRATITUDE AUJOURD'HUI
## POUR VOS ÉNERGIES

_____

ÉCRIVEZ UNE NOTE PERSONNELLE OU UN OBJECTIF

_____

_____

_____

# JOUR 48

DATE:__/__/___

L M M J V S D

BIENVENUE DANS VOTRE JOURNAL QUOTIDIEN

EXPRIMEZ VOTRE GRATITUDE AUJOURD'HUI

POUR LA BEAUTÉ DE LA NATURE

_____

ÉCRIVEZ UNE NOTE PERSONNELLE OU UN OBJECTIF

_____

_____

_____

# JOUR 49 DATE:__/__/___

## L M M J V S D

### BIENVENUE DANS VOTRE JOURNAL QUOTIDIEN

### EXPRIMEZ VOTRE GRATITUDE AUJOURD'HUI
### POUR AVOIR SURMONTÉ UN DÉFI

_____

ÉCRIVEZ UNE NOTE PERSONNELLE OU UN OBJECTIF

_____

_____

_____

# JOUR 50
### DATE: __/__/___
## L M M J V S D

## BIENVENUE DANS VOTRE JOURNAL QUOTIDIEN

## EXPRIMEZ VOTRE GRATITUDE AUJOURD'HUI POUR VOTRE MOBILITÉ

_____

## ÉCRIVEZ UNE NOTE PERSONNELLE OU UN OBJECTIF

_____

_____

_____

# JOUR 51

DATE: __ / __ / ___

L M M J V S D

BIENVENUE DANS VOTRE JOURNAL QUOTIDIEN

EXPRIMEZ VOTRE GRATITUDE AUJOURD'HUI

POUR UN AVENIR PASSIONNANT

_____

ÉCRIVEZ UNE NOTE PERSONNELLE OU UN OBJECTIF

_____

_____

_____

# JOUR 52

DATE:__/__/___

L M M J V S D

## BIENVENUE DANS VOTRE JOURNAL QUOTIDIEN

## EXPRIMEZ VOTRE GRATITUDE AUJOURD'HUI AUX MEMBRES DE VOTRE FAMILLE

_____

ÉCRIVEZ UNE NOTE PERSONNELLE OU UN OBJECTIF

_____

_____

_____

# JOUR 53

DATE:__/__/___

L M M J V S D

BIENVENUE DANS VOTRE JOURNAL QUOTIDIEN

EXPRIMEZ VOTRE GRATITUDE AUJOURD'HUI POUR VOTRE EXPÉRIENCE

_____

ÉCRIVEZ UNE NOTE PERSONNELLE OU UN OBJECTIF

_____

_____

_____

# JOUR 54

DATE: __/__/___

# L M M J V S D

## BIENVENUE DANS VOTRE JOURNAL QUOTIDIEN

## EXPRIMEZ VOTRE GRATITUDE AUJOURD'HUI POUR LES LEÇONS APPRISES

_____

ÉCRIVEZ UNE NOTE PERSONNELLE OU UN OBJECTIF

_____

_____

_____

# JOUR 55

DATE: __/__/___

# L M M J V S D

## BIENVENUE DANS VOTRE JOURNAL QUOTIDIEN

## EXPRIMEZ VOTRE GRATITUDE AUJOURD'HUI POUR VOS FINANCES

_____

ÉCRIVEZ UNE NOTE PERSONNELLE OU UN OBJECTIF

_____

_____

_____

# JOUR 56

DATE: __/__/___

# L M M J V S D

## BIENVENUE DANS VOTRE JOURNAL QUOTIDIEN

## EXPRIMEZ VOTRE GRATITUDE AUJOURD'HUI

## POUR LES CHOSES QUI VOUS FONT SOURIRE

_____

ÉCRIVEZ UNE NOTE PERSONNELLE OU UN OBJECTIF

_____

_____

_____

# JOUR 57 DATE: __/__/___

## L M M J V S D

### BIENVENUE DANS VOTRE JOURNAL QUOTIDIEN

### EXPRIMEZ VOTRE GRATITUDE AUJOURD'HUI

### POUR UN RÉCENT MOMENT DE RIRE

_____

ÉCRIVEZ UNE NOTE PERSONNELLE OU UN OBJECTIF

_____

_____

_____

# JOUR 58

DATE: __/__/___

# L M M J V S D

## BIENVENUE DANS VOTRE JOURNAL QUOTIDIEN

## EXPRIMEZ VOTRE GRATITUDE AUJOURD'HUI POUR VOS PASSE-TEMPS PRÉFÉRÉS

_____

ÉCRIVEZ UNE NOTE PERSONNELLE OU UN OBJECTIF

_____

_____

_____

# JOUR 59

DATE: __/__/___

L M M J V S D

## BIENVENUE DANS VOTRE JOURNAL QUOTIDIEN

EXPRIMEZ VOTRE GRATITUDE AUJOURD'HUI POUR AVOIR REÇU UNE GENTILLESSE INATTENDUE

_____

ÉCRIVEZ UNE NOTE PERSONNELLE OU UN OBJECTIF

_____

_____

_____

# JOUR 60

DATE:__/__/___

# L M M J V S D

## BIENVENUE DANS VOTRE JOURNAL QUOTIDIEN

## EXPRIMEZ VOTRE GRATITUDE AUJOURD'HUI POUR VOS MOMENTS DE RÉFLEXION

_____

ÉCRIVEZ UNE NOTE PERSONNELLE OU UN OBJECTIF

_____

_____

_____

# JOUR 61

DATE:__/__/___

L M M J V S D

BIENVENUE DANS VOTRE JOURNAL QUOTIDIEN

EXPRIMEZ VOTRE GRATITUDE AUJOURD'HUI POUR VOTRE PROFESSION

_____

ÉCRIVEZ UNE NOTE PERSONNELLE OU UN OBJECTIF

_____

_____

_____

# JOUR 62

DATE:__/__/___

L M M J V S D

## BIENVENUE DANS VOTRE JOURNAL QUOTIDIEN

## EXPRIMEZ VOTRE GRATITUDE AUJOURD'HUI POUR VOS DIVERSES PERSPECTIVES

_____

ÉCRIVEZ UNE NOTE PERSONNELLE OU UN OBJECTIF

_____

_____

_____

# JOUR 63

DATE:__/__/___

L M M J V S D

BIENVENUE DANS VOTRE JOURNAL QUOTIDIEN

EXPRIMEZ VOTRE GRATITUDE AUJOURD'HUI

POUR AVOIR POURSUIVI VOS RÊVES

_____

ÉCRIVEZ UNE NOTE PERSONNELLE OU UN OBJECTIF

_____

_____

_____

# JOUR 64

DATE:__/__/___

# L M M J V S D

## BIENVENUE DANS VOTRE JOURNAL QUOTIDIEN

## EXPRIMEZ VOTRE GRATITUDE AUJOURD'HUI POUR VOS SPORTS LOCAUX

_____

ÉCRIVEZ UNE NOTE PERSONNELLE OU UN OBJECTIF

_____

_____

_____

# JOUR 65 DATE:__/__/___

## L M M J V S D

## BIENVENUE DANS VOTRE JOURNAL QUOTIDIEN

## EXPRIMEZ VOTRE GRATITUDE AUJOURD'HUI POUR QUELQU'UN QUI VOUS INSPIRE

_____

## ÉCRIVEZ UNE NOTE PERSONNELLE OU UN OBJECTIF

_____

_____

_____

# JOUR 66 DATE:__/__/___

## L M M J V S D

## BIENVENUE DANS VOTRE JOURNAL QUOTIDIEN

## EXPRIMEZ VOTRE GRATITUDE AUJOURD'HUI POUR VOS VOYAGES

_____

ÉCRIVEZ UNE NOTE PERSONNELLE OU UN OBJECTIF

_____

_____

_____

# JOUR 67 DATE:__/__/___

## L M M J V S D

BIENVENUE DANS VOTRE JOURNAL QUOTIDIEN

EXPRIMEZ VOTRE GRATITUDE AUJOURD'HUI

POUR VOTRE VIE

_____

ÉCRIVEZ UNE NOTE PERSONNELLE OU UN OBJECTIF

_____

_____

_____

# JOUR 68

DATE:__/__/___

L M M J V S D

BIENVENUE DANS VOTRE JOURNAL QUOTIDIEN

EXPRIMEZ VOTRE GRATITUDE AUJOURD'HUI
POUR VOTRE CAPACITÉ À INSPIRER LES AUTRES

_____

ÉCRIVEZ UNE NOTE PERSONNELLE OU UN OBJECTIF

_____

_____

_____

# JOUR 69 DATE:__/__/___

## L M M J V S D

### BIENVENUE DANS VOTRE JOURNAL QUOTIDIEN

## EXPRIMEZ VOTRE GRATITUDE AUJOURD'HUI
## POUR LES ARTS ET L'HUMANITÉ

_____

ÉCRIVEZ UNE NOTE PERSONNELLE OU UN OBJECTIF

_____

_____

# JOUR 70

DATE: __/__/___

# L M M J V S D

## BIENVENUE DANS VOTRE JOURNAL QUOTIDIEN

## EXPRIMEZ VOTRE GRATITUDE AUJOURD'HUI POUR AVOIR ENRICHI VOTRE VIE

_____

ÉCRIVEZ UNE NOTE PERSONNELLE OU UN OBJECTIF

_____

_____

_____

# JOUR 71 DATE:__/__/___

## L M M J V S D

### BIENVENUE DANS VOTRE JOURNAL QUOTIDIEN

### EXPRIMEZ VOTRE GRATITUDE AUJOURD'HUI POUR LES CHOSES QUI RENDENT LA VIE PLUS FACILE

_____

ÉCRIVEZ UNE NOTE PERSONNELLE OU UN OBJECTIF

_____

_____

_____

# JOUR 72 DATE: __/__/___

## L M M J V S D

### BIENVENUE DANS VOTRE JOURNAL QUOTIDIEN

## EXPRIMEZ VOTRE GRATITUDE AUJOURD'HUI
## POUR UN EXCELLENT PROFESSEUR

_____

### ÉCRIVEZ UNE NOTE PERSONNELLE OU UN OBJECTIF

_____

_____

_____

# JOUR 73 DATE:__/__/___

## L M M J V S D

BIENVENUE DANS VOTRE JOURNAL QUOTIDIEN

EXPRIMEZ VOTRE GRATITUDE AUJOURD'HUI
POUR VOTRE BONNE SANTÉ

_____

ÉCRIVEZ UNE NOTE PERSONNELLE OU UN OBJECTIF

_____

_____

_____

# JOUR 74 DATE: __/__/___

# L M M J V S D

## BIENVENUE DANS VOTRE JOURNAL QUOTIDIEN

## EXPRIMEZ VOTRE GRATITUDE AUJOURD'HUI

## POUR VOS PARENTS OU TUTEURS

_____

ÉCRIVEZ UNE NOTE PERSONNELLE OU UN OBJECTIF

_____

_____

_____

# JOUR 75 DATE:__/__/___

# L M M J V S D

## BIENVENUE DANS VOTRE JOURNAL QUOTIDIEN

## EXPRIMEZ VOTRE GRATITUDE AUJOURD'HUI
## POUR VOS ACTIVITÉS PRÉFÉRÉES

_____

ÉCRIVEZ UNE NOTE PERSONNELLE OU UN OBJECTIF

_____

_____

_____

# JOUR 76

**DATE:** __/__/___

# L M M J V S D

## BIENVENUE DANS VOTRE JOURNAL QUOTIDIEN

## EXPRIMEZ VOTRE GRATITUDE AUJOURD'HUI POUR DIVERS ALIMENTS CULTURELS

_____

ÉCRIVEZ UNE NOTE PERSONNELLE OU UN OBJECTIF

_____

_____

_____

# JOUR 77 DATE: __/__/___

## L M M J V S D

BIENVENUE DANS VOTRE JOURNAL QUOTIDIEN

EXPRIMEZ VOTRE GRATITUDE AUJOURD'HUI POUR DES MOMENTS PAISIBLES

_____

ÉCRIVEZ UNE NOTE PERSONNELLE OU UN OBJECTIF

_____

_____

# JOUR 78 DATE:__/__/___

## L M M J V S D

### BIENVENUE DANS VOTRE JOURNAL QUOTIDIEN

### EXPRIMEZ VOTRE GRATITUDE AUJOURD'HUI
### POUR VOS CÉLÉBRATIONS

_____

ÉCRIVEZ UNE NOTE PERSONNELLE OU UN OBJECTIF

_____

_____

# JOUR 79 DATE: __/__/___

# L M M J V S D

## BIENVENUE DANS VOTRE JOURNAL QUOTIDIEN

## EXPRIMEZ VOTRE GRATITUDE AUJOURD'HUI
## POUR AVOIR ÉTÉ VALORISÉ

_____

ÉCRIVEZ UNE NOTE PERSONNELLE OU UN OBJECTIF

_____

_____

_____

# JOUR 80

DATE:__/__/___

# L M M J V S D

## BIENVENUE DANS VOTRE JOURNAL QUOTIDIEN

## EXPRIMEZ VOTRE GRATITUDE AUJOURD'HUI POUR AVOIR REÇU UN COMPLIMENT

_____

ÉCRIVEZ UNE NOTE PERSONNELLE OU UN OBJECTIF

_____

_____

_____

JOURNAL DE GRATITUDE 366 JOURS

# JOUR 81 DATE:__/__/___

## L M M J V S D

BIENVENUE DANS VOTRE JOURNAL QUOTIDIEN

EXPRIMEZ VOTRE GRATITUDE AUJOURD'HUI POUR
VOTRE MAGASIN D'ALIMENTATION LOCAL

---

ÉCRIVEZ UNE NOTE PERSONNELLE OU UN OBJECTIF

---

# JOUR 82

DATE:__/__/___

L M M J V S D

## BIENVENUE DANS VOTRE JOURNAL QUOTIDIEN

## EXPRIMEZ VOTRE GRATITUDE AUJOURD'HUI POUR VOS SONS PRÉFÉRÉS

_____

ÉCRIVEZ UNE NOTE PERSONNELLE OU UN OBJECTIF

_____

_____

_____

# JOUR 83 DATE: __/__/___

## L M M J V S D

## BIENVENUE DANS VOTRE JOURNAL QUOTIDIEN

## EXPRIMEZ VOTRE GRATITUDE AUJOURD'HUI POUR LES JOYEUSES TRADITIONS DES FÊTES

_____

ÉCRIVEZ UNE NOTE PERSONNELLE OU UN OBJECTIF

_____

_____

_____

# JOUR 84

**DATE:** __/__/___

# L M M J V S D

## BIENVENUE DANS VOTRE JOURNAL QUOTIDIEN

## *

## EXPRIMEZ VOTRE GRATITUDE AUJOURD'HUI POUR VOS TYPES DE DIVERTISSEMENT

_____

ÉCRIVEZ UNE NOTE PERSONNELLE OU UN OBJECTIF

_____

_____

_____

# JOUR 85 DATE:__/__/___

# L M M J V S D

## BIENVENUE DANS VOTRE JOURNAL QUOTIDIEN

## EXPRIMEZ VOTRE GRATITUDE AUJOURD'HUI POUR VOS FÉLICITATIONS

_____

ÉCRIVEZ UNE NOTE PERSONNELLE OU UN OBJECTIF

_____

_____

_____

# JOUR 86 DATE:__/__/___

## L M M J V S D

**BIENVENUE DANS VOTRE JOURNAL QUOTIDIEN**

**EXPRIMEZ VOTRE GRATITUDE AUJOURD'HUI POUR LA BEAUTÉ DES LACS**

_____

ÉCRIVEZ UNE NOTE PERSONNELLE OU UN OBJECTIF

_____

_____

_____

# JOUR 87 DATE:__/__/___

## L M M J V S D

BIENVENUE DANS VOTRE JOURNAL QUOTIDIEN

EXPRIMEZ VOTRE GRATITUDE AUJOURD'HUI
POUR DES FAVEURS INATTENDUES

_____

ÉCRIVEZ UNE NOTE PERSONNELLE OU UN OBJECTIF

_____

_____

_____

# JOUR 88 DATE: __/__/___

## L M M J V S D

## BIENVENUE DANS VOTRE JOURNAL QUOTIDIEN

## EXPRIMEZ VOTRE GRATITUDE AUJOURD'HUI POUR UNE MAISON HEUREUSE

_____

ÉCRIVEZ UNE NOTE PERSONNELLE OU UN OBJECTIF

_____

_____

_____

# JOUR 89

DATE: __/__/___

L M M J V S D

BIENVENUE DANS VOTRE JOURNAL QUOTIDIEN

EXPRIMEZ VOTRE GRATITUDE AUJOURD'HUI POUR

VOS SOUVENIRS D'ENFANCE PRÉFÉRÉS

_____

ÉCRIVEZ UNE NOTE PERSONNELLE OU UN OBJECTIF

_____

_____

# JOUR 90 DATE:__/__/___
## L M M J V S D

## BIENVENUE DANS VOTRE JOURNAL QUOTIDIEN

## EXPRIMEZ VOTRE GRATITUDE AUJOURD'HUI POUR LES MERVEILLES DU MONDE

_____

## ÉCRIVEZ UNE NOTE PERSONNELLE OU UN OBJECTIF

_____

_____

_____

www.Professeur-Andy.com

# JOUR 91 DATE: __/__/___

## L M M J V S D

### BIENVENUE DANS VOTRE JOURNAL QUOTIDIEN

### EXPRIMEZ VOTRE GRATITUDE POUR AUJOURD'HUI
### POUR LE SOUTIEN DE VOS AMIS

_____

ÉCRIVEZ UNE NOTE PERSONNELLE OU UN OBJECTIF

_____

_____

_____

# JOUR 92 DATE:__/__/___

## L M M J V S D

BIENVENUE DANS VOTRE JOURNAL QUOTIDIEN

EXPRIMEZ VOTRE GRATITUDE AUJOURD'HUI

POUR VOTRE SÛRETÉ ET VOTRE SÉCURITÉ

_____

ÉCRIVEZ UNE NOTE PERSONNELLE OU UN OBJECTIF

_____

_____

_____

# JOUR 93

DATE: __/__/___

L M M J V S D

## BIENVENUE DANS VOTRE JOURNAL QUOTIDIEN

## EXPRIMEZ VOTRE GRATITUDE AUJOURD'HUI POUR INTERNET ET LES MÉDIAS SOCIAUX

_____

ÉCRIVEZ UNE NOTE PERSONNELLE OU UN OBJECTIF

_____

_____

_____

# JOUR 94 DATE: __/__/___

## L M M J V S D

### BIENVENUE DANS VOTRE JOURNAL QUOTIDIEN

### EXPRIMEZ VOTRE GRATITUDE AUJOURD'HUI
### POUR VOS PRÉCIEUSES COMPÉTENCES

_____

ÉCRIVEZ UNE NOTE PERSONNELLE OU UN OBJECTIF

_____

_____

_____

# JOUR 95 DATE:__/__/___

## L M M J V S D

BIENVENUE DANS VOTRE JOURNAL QUOTIDIEN

EXPRIMEZ VOTRE GRATITUDE AUJOURD'HUI POUR

VOTRE DÉVELOPPEMENT PERSONNEL

_____

ÉCRIVEZ UNE NOTE PERSONNELLE OU UN OBJECTIF

_____

_____

# JOUR 96 DATE: __/__/___

## L M M J V S D

### BIENVENUE DANS VOTRE JOURNAL QUOTIDIEN

### EXPRIMEZ VOTRE GRATITUDE AUJOURD'HUI
### POUR VOUS ÊTRE ADAPTÉ AUX SITUATIONS

_____

ÉCRIVEZ UNE NOTE PERSONNELLE OU UN OBJECTIF

_____

_____

_____

# JOUR 97

DATE:__/__/___

# L M M J V S D

## BIENVENUE DANS VOTRE JOURNAL QUOTIDIEN

## EXPRIMEZ VOTRE GRATITUDE AUJOURD'HUI POUR AVOIR OFFERT ET REÇU DES CADEAUX

_____

ÉCRIVEZ UNE NOTE PERSONNELLE OU UN OBJECTIF

_____

_____

_____

# JOUR 98 DATE:__/__/___

## L M M J V S D

## BIENVENUE DANS VOTRE JOURNAL QUOTIDIEN

## EXPRIMEZ VOTRE GRATITUDE AUJOURD'HUI
## POUR VOTRE AMOUR ET VOTRE BONHEUR

_____

ÉCRIVEZ UNE NOTE PERSONNELLE OU UN OBJECTIF

_____

_____

_____

# JOUR 99

DATE:__/__/___

L M M J V S D

BIENVENUE DANS VOTRE JOURNAL QUOTIDIEN

EXPRIMEZ VOTRE GRATITUDE AUJOURD'HUI

POUR VOTRE ATTENTION AUX DÉTAILS

_____

ÉCRIVEZ UNE NOTE PERSONNELLE OU UN OBJECTIF

_____

_____

_____

# JOUR 100 DATE:__/__/___

## L M M J V S D

### BIENVENUE DANS VOTRE JOURNAL QUOTIDIEN

### EXPRIMEZ VOTRE GRATITUDE AUJOURD'HUI

### POUR UN ESPRIT CLAIR ET SAIN

_____

ÉCRIVEZ UNE NOTE PERSONNELLE OU UN OBJECTIF

_____

_____

_____

# JOUR 101 DATE:__/__/___

# L M M J V S D

## BIENVENUE DANS VOTRE JOURNAL QUOTIDIEN

## EXPRIMEZ VOTRE GRATITUDE AUJOURD'HUI POUR VOS AMBITIONS

_____

ÉCRIVEZ UNE NOTE PERSONNELLE OU UN OBJECTIF

_____

_____

_____

# JOUR 102 DATE:__/__/___

## L M M J V S D

### BIENVENUE DANS VOTRE JOURNAL QUOTIDIEN

### EXPRIMEZ VOTRE GRATITUDE AUJOURD'HUI
### POUR VOS MOMENTS DE PENSÉES CALMES

_____

ÉCRIVEZ UNE NOTE PERSONNELLE OU UN OBJECTIF

_____

_____

_____

# JOUR 103 DATE:__/__/___

## L M M J V S D

### BIENVENUE DANS VOTRE JOURNAL QUOTIDIEN

### EXPRIMEZ VOTRE GRATITUDE AUJOURD'HUI POUR VOTRE SOURCE DE SAGESSE

_____

### ÉCRIVEZ UNE NOTE PERSONNELLE OU UN OBJECTIF

_____

_____

_____

# JOUR 104 DATE:_/__/___

## L M M J V S D

## BIENVENUE DANS VOTRE JOURNAL QUOTIDIEN

## EXPRIMEZ VOTRE GRATITUDE AUJOURD'HUI POUR UN BON DÉBUT DE MATINÉE

_____

ÉCRIVEZ UNE NOTE PERSONNELLE OU UN OBJECTIF

_____

_____

_____

# JOUR 105 DATE:__/__/___

## L M M J V S D

### BIENVENUE DANS VOTRE JOURNAL QUOTIDIEN

### EXPRIMEZ VOTRE GRATITUDE AUJOURD'HUI POUR VOS TALENTS ET VOS COMPÉTENCES

_____

ÉCRIVEZ UNE NOTE PERSONNELLE OU UN OBJECTIF

_____

_____

_____

# JOUR 106 DATE: __/__/___

## L M M J V S D

## BIENVENUE DANS VOTRE JOURNAL QUOTIDIEN

## EXPRIMEZ VOTRE GRATITUDE AUJOURD'HUI POUR VOS TRIOMPHES

_____

ÉCRIVEZ UNE NOTE PERSONNELLE OU UN OBJECTIF

_____

_____

_____

# JOUR 107 DATE:__/__/___

## L M M J V S D

### BIENVENUE DANS VOTRE JOURNAL QUOTIDIEN

### EXPRIMEZ VOTRE GRATITUDE AUJOURD'HUI POUR
### UN FRÈRE OU UNE SŒUR OU UN PARENT PROCHE

_____

ÉCRIVEZ UNE NOTE PERSONNELLE OU UN OBJECTIF

_____

_____

_____

# JOUR 108 DATE:__/__/___

## L M M J V S D

### BIENVENUE DANS VOTRE JOURNAL QUOTIDIEN

## EXPRIMEZ VOTRE GRATITUDE AUJOURD'HUI POUR VOS LIENS AVEC LES GENS

_____

ÉCRIVEZ UNE NOTE PERSONNELLE OU UN OBJECTIF

_____

_____

_____

# JOUR 109

DATE:__/__/___

# L M M J V S D

## BIENVENUE DANS VOTRE JOURNAL QUOTIDIEN

## EXPRIMEZ VOTRE GRATITUDE AUJOURD'HUI

## POUR VOS COLLÈGUES OU COÉQUIPIERS

_____

ÉCRIVEZ UNE NOTE PERSONNELLE OU UN OBJECTIF

_____

_____

_____

# JOUR 110 DATE: __/__/___

## L M M J V S D

BIENVENUE DANS VOTRE JOURNAL QUOTIDIEN

EXPRIMEZ VOTRE GRATITUDE AUJOURD'HUI POUR
AVOIR TROUVÉ LA PAIX ET LE CONFORT

_____

ÉCRIVEZ UNE NOTE PERSONNELLE OU UN OBJECTIF

_____

_____

_____

# JOUR 111 DATE:__/__/___
## L M M J V S D

## BIENVENUE DANS VOTRE JOURNAL QUOTIDIEN

EXPRIMEZ VOTRE GRATITUDE AUJOURD'HUI POUR LE PHARE QUI GUIDE VOTRE VIE

_____

ÉCRIVEZ UNE NOTE PERSONNELLE OU UN OBJECTIF

_____

_____

_____

# JOUR 112 DATE:__/__/___

## L M M J V S D

## BIENVENUE DANS VOTRE JOURNAL QUOTIDIEN

## EXPRIMEZ VOTRE GRATITUDE AUJOURD'HUI POUR LES PLAISIRS SIMPLES DE LA VIE

_____

ÉCRIVEZ UNE NOTE PERSONNELLE OU UN OBJECTIF

_____

_____

_____

# JOUR 113 DATE: __/__/___

## L M M J V S D

### BIENVENUE DANS VOTRE JOURNAL QUOTIDIEN

### EXPRIMEZ VOTRE GRATITUDE AUJOURD'HUI POUR UN AVENIR PASSIONNANT

_____

ÉCRIVEZ UNE NOTE PERSONNELLE OU UN OBJECTIF

_____

_____

_____

# JOUR 114 DATE:__/__/___

## L M M J V S D

## BIENVENUE DANS VOTRE JOURNAL QUOTIDIEN

## EXPRIMEZ VOTRE GRATITUDE AUJOURD'HUI POUR VOTRE ROUTINE QUOTIDIENNE EFFICACE

_____

ÉCRIVEZ UNE NOTE PERSONNELLE OU UN OBJECTIF

_____

_____

_____

# JOUR 115 DATE:__/__/___

## L M M J V S D

### BIENVENUE DANS VOTRE JOURNAL QUOTIDIEN

### EXPRIMEZ VOTRE GRATITUDE AUJOURD'HUI POUR VOUS SENTIR LIBRE

_____

ÉCRIVEZ UNE NOTE PERSONNELLE OU UN OBJECTIF

_____

_____

_____

# JOUR 116 DATE:__/__/___
## L M M J V S D

## BIENVENUE DANS VOTRE JOURNAL QUOTIDIEN

## EXPRIMEZ VOTRE GRATITUDE AUJOURD'HUI POUR VOTRE ÉDUCATION

_____

### ÉCRIVEZ UNE NOTE PERSONNELLE OU UN OBJECTIF

_____

_____

_____

# JOUR 117 DATE:__/__/___

## L M M J V S D

## BIENVENUE DANS VOTRE JOURNAL QUOTIDIEN

## EXPRIMEZ VOTRE GRATITUDE AUJOURD'HUI POUR LA CAPACITÉ D'APPRENDRE ET DE GRANDIR

_____

ÉCRIVEZ UNE NOTE PERSONNELLE OU UN OBJECTIF

_____

_____

_____

# JOUR 118

DATE: __/__/___

# L M M J V S D

## BIENVENUE DANS VOTRE JOURNAL QUOTIDIEN

## EXPRIMEZ VOTRE GRATITUDE AUJOURD'HUI POUR LA BEAUTÉ DU MONDE

_____

ÉCRIVEZ UNE NOTE PERSONNELLE OU UN OBJECTIF

_____

_____

_____

# JOUR 119 DATE:__/__/___
# L M M J V S D

## BIENVENUE DANS VOTRE JOURNAL QUOTIDIEN

## EXPRIMEZ VOTRE GRATITUDE AUJOURD'HUI POUR LA DIVERSITÉ DE VOTRE VIE

_____

ÉCRIVEZ UNE NOTE PERSONNELLE OU UN OBJECTIF

_____

_____

_____

# JOUR 120 DATE:__/__/___

# L M M J V S D

## BIENVENUE DANS VOTRE JOURNAL QUOTIDIEN

## EXPRIMEZ VOTRE GRATITUDE AUJOURD'HUI POUR AVOIR SURMONTÉ UN DÉFI

_____

ÉCRIVEZ UNE NOTE PERSONNELLE OU UN OBJECTIF

_____

_____

_____

# JOUR 121 DATE: __/__/___
## L M M J V S D

### BIENVENUE DANS VOTRE JOURNAL QUOTIDIEN

### EXPRIMEZ VOTRE GRATITUDE AUJOURD'HUI POUR VOTRE JOIE ET VOTRE BONHEUR

_____

ÉCRIVEZ UNE NOTE PERSONNELLE OU UN OBJECTIF

_____

_____

_____

# JOUR 122 DATE:__/__/___
## L M M J V S D

## BIENVENUE DANS VOTRE JOURNAL QUOTIDIEN

## EXPRIMEZ VOTRE GRATITUDE AUJOURD'HUI POUR LE MYSTÉRIEUX CIEL NOCTURNE

_____

ÉCRIVEZ UNE NOTE PERSONNELLE OU UN OBJECTIF

_____

_____

_____

# JOUR 123 DATE:__/__/___

## L M M J V S D

### BIENVENUE DANS VOTRE JOURNAL QUOTIDIEN

### EXPRIMEZ VOTRE GRATITUDE AUJOURD'HUI POUR AVOIR PRIS LE CONTRÔLE DES SITUATIONS

_____

ÉCRIVEZ UNE NOTE PERSONNELLE OU UN OBJECTIF

_____

_____

_____

# JOUR 124 DATE:\_\_/\_\_/\_\_\_

## L M M J V S D

BIENVENUE DANS VOTRE JOURNAL QUOTIDIEN

EXPRIMEZ VOTRE APPRÉCIATION AUJOURD'HUI
POUR VOTRE BIBLIOTHÈQUE OU LIBRAIRIE

_____

ÉCRIVEZ UNE NOTE PERSONNELLE OU UN OBJECTIF

_____

_____

_____

# JOUR 125 DATE:__/__/___
## L M M J V S D

### BIENVENUE DANS VOTRE JOURNAL QUOTIDIEN

### EXPRIMEZ VOTRE GRATITUDE AUJOURD'HUI POUR
### VOS NOUVELLES COMPÉTENCES

_____

ÉCRIVEZ UNE NOTE PERSONNELLE OU UN OBJECTIF

_____

_____

_____

# JOUR 126 DATE:__/__/___

## L M M J V S D

## BIENVENUE DANS VOTRE JOURNAL QUOTIDIEN

EXPRIMEZ VOTRE GRATITUDE AUJOURD'HUI POUR
VOTRE EXPRESSION CRÉATIVE

_____

ÉCRIVEZ UNE NOTE PERSONNELLE OU UN OBJECTIF

_____

_____

# JOUR 127 DATE: __/__/___

## L M M J V S D

### BIENVENUE DANS VOTRE JOURNAL QUOTIDIEN

### EXPRIMEZ VOTRE GRATITUDE AUJOURD'HUI POUR VOTRE PLAT PRÉFÉRÉ

_____

ÉCRIVEZ UNE NOTE PERSONNELLE OU UN OBJECTIF

_____

_____

# JOUR 128 DATE:__/__/___
# L M M J V S D

## BIENVENUE DANS VOTRE JOURNAL QUOTIDIEN

## EXPRIMEZ VOTRE GRATITUDE AUJOURD'HUI POUR VOTRE SOUTIEN PHYSIQUE OU SPIRITUEL

_____

ÉCRIVEZ UNE NOTE PERSONNELLE OU UN OBJECTIF

_____

_____

_____

# JOUR 129

DATE:__/__/___

L M M J V S D

## BIENVENUE DANS VOTRE JOURNAL QUOTIDIEN

## EXPRIMEZ VOTRE GRATITUDE AUJOURD'HUI POUR VOTRE BIEN-ÊTRE

_____

ÉCRIVEZ UNE NOTE PERSONNELLE OU UN OBJECTIF

_____

_____

_____

# JOUR 130 DATE:__/__/___
## L M M J V S D

## BIENVENUE DANS VOTRE JOURNAL QUOTIDIEN

## EXPRIMEZ VOTRE GRATITUDE AUJOURD'HUI POUR AVOIR UTILISÉ LA TECHNOLOGIE POUR APPRENDRE

_____

ÉCRIVEZ UNE NOTE PERSONNELLE OU UN OBJECTIF

_____

_____

_____

# JOUR 131 DATE:__/__/___
## L M M J V S D

BIENVENUE DANS VOTRE JOURNAL QUOTIDIEN

EXPRIMEZ VOTRE GRATITUDE AUJOURD'HUI POUR LE DON DE TEMPS

_____

ÉCRIVEZ UNE NOTE PERSONNELLE OU UN OBJECTIF

_____

_____

_____

# JOUR 132 DATE:__/__/___
## L M M J V S D

### BIENVENUE DANS VOTRE JOURNAL QUOTIDIEN

### EXPRIMEZ VOTRE GRATITUDE AUJOURD'HUI POUR L'AIR FRAIS QUE VOUS RESPIREZ

_____

ÉCRIVEZ UNE NOTE PERSONNELLE OU UN OBJECTIF

_____

_____

# JOUR 133 DATE:__/__/___

## L M M J V S D

### BIENVENUE DANS VOTRE JOURNAL QUOTIDIEN

### EXPRIMEZ VOTRE GRATITUDE AUJOURD'HUI

### POUR LES VACANCES

_____

ÉCRIVEZ UNE NOTE PERSONNELLE OU UN OBJECTIF

_____

_____

_____

# JOUR 134 DATE:__/__/___
## L M M J V S D

BIENVENUE DANS VOTRE JOURNAL QUOTIDIEN

EXPRIMEZ VOTRE GRATITUDE AUJOURD'HUI POUR
VOS AGRÉABLES SURPRISES

_____

ÉCRIVEZ UNE NOTE PERSONNELLE OU UN OBJECTIF

_____

_____

_____

# JOUR 135 DATE:__/__/___
## L M M J V S D

### BIENVENUE DANS VOTRE JOURNAL QUOTIDIEN

### EXPRIMEZ VOTRE GRATITUDE AUJOURD'HUI POUR VOS MATINÉES AGRÉABLES

_____

### ÉCRIVEZ UNE NOTE PERSONNELLE OU UN OBJECTIF

_____

_____

_____

# JOUR 136 DATE: __/__/___

## L M M J V S D

## BIENVENUE DANS VOTRE JOURNAL QUOTIDIEN

## EXPRIMEZ VOTRE GRATITUDE AUJOURD'HUI POUR VOTRE PARC EXTÉRIEUR PRÉFÉRÉ

_____

ÉCRIVEZ UNE NOTE PERSONNELLE OU UN OBJECTIF

_____

_____

_____

# JOUR 137 DATE:__/__/___

## L M M J V S D

## BIENVENUE DANS VOTRE JOURNAL QUOTIDIEN

## SUPPORT EXPRESS AUJOURD'HUI POUR SE CONNECTER AVEC SES PROCHES

_____

ÉCRIVEZ UNE NOTE PERSONNELLE OU UN OBJECTIF

_____

_____

_____

# JOUR 138 DATE:__/__/___

## L M M J V S D

## BIENVENUE DANS VOTRE JOURNAL QUOTIDIEN

## EXPRIMEZ VOTRE GRATITUDE AUJOURD'HUI POUR RESTER PHYSIQUEMENT ACTIF

_____

## ÉCRIVEZ UNE NOTE PERSONNELLE OU UN OBJECTIF

_____

_____

_____

# JOUR 139 DATE: __/__/___

## L M M J V S D

### BIENVENUE DANS VOTRE JOURNAL QUOTIDIEN

### EXPRIMEZ VOTRE GRATITUDE AUJOURD'HUI POUR VOTRE FORCE

_____

ÉCRIVEZ UNE NOTE PERSONNELLE OU UN OBJECTIF

_____

_____

_____

# JOUR 140 DATE:__/__/___

## L M M J V S D

## BIENVENUE DANS VOTRE JOURNAL QUOTIDIEN

## EXPRIMEZ VOTRE GRATITUDE AUJOURD'HUI
## POUR UN SOMMEIL RÉPARATEUR

_____

ÉCRIVEZ UNE NOTE PERSONNELLE OU UN OBJECTIF

_____

_____

_____

# JOUR 141 DATE:__/__/___

## L M M J V S D

## BIENVENUE DANS VOTRE JOURNAL QUOTIDIEN

## EXPRIMEZ VOTRE GRATITUDE AUJOURD'HUI POUR VOS CONVICTIONS

_____

ÉCRIVEZ UNE NOTE PERSONNELLE OU UN OBJECTIF

_____

_____

_____

# JOUR 142 DATE:__/__/___
## L M M J V S D

## BIENVENUE DANS VOTRE JOURNAL QUOTIDIEN

## EXPRIMEZ VOTRE GRATITUDE AUJOURD'HUI POUR VOTRE PAIN QUOTIDIEN

_____

ÉCRIVEZ UNE NOTE PERSONNELLE OU UN OBJECTIF

_____

_____

_____

# JOUR 143 DATE: __/__/___

## L M M J V S D

### BIENVENUE DANS VOTRE JOURNAL QUOTIDIEN

### EXPRIMEZ VOTRE GRATITUDE AUJOURD'HUI POUR VOTRE ESPACE DE TRAVAIL

_____

ÉCRIVEZ UNE NOTE PERSONNELLE OU UN OBJECTIF

_____

_____

# JOUR 144 DATE:__/__/___

## L M M J V S D

## BIENVENUE DANS VOTRE JOURNAL QUOTIDIEN

## EXPRIMEZ VOTRE GRATITUDE POUR AVOIR APPRIS DE VOTRE ERREUR

_____

ÉCRIVEZ UNE NOTE PERSONNELLE OU UN OBJECTIF

_____

_____

# JOUR 145 DATE:__/__/___

## L M M J V S D

### BIENVENUE DANS VOTRE JOURNAL QUOTIDIEN

### EXPRIMEZ VOTRE GRATITUDE AUJOURD'HUI POUR VOS COMPLIMENTS SINCÈRES

_____

ÉCRIVEZ UNE NOTE PERSONNELLE OU UN OBJECTIF

_____

_____

_____

# JOUR 146 DATE:__/__/___

## L M M J V S D

BIENVENUE DANS VOTRE JOURNAL QUOTIDIEN

EXPRIMEZ VOTRE GRATITUDE AUJOURD'HUI POUR VOTRE AUTODISCIPLINE

---

ÉCRIVEZ UNE NOTE PERSONNELLE OU UN OBJECTIF

---

---

---

# JOUR 147

DATE:__/__/___

# L M M J V S D

## BIENVENUE DANS VOTRE JOURNAL QUOTIDIEN

## EXPRIMEZ VOTRE GRATITUDE AUJOURD'HUI
## POUR AVOIR PROFITÉ DU PLEIN AIR

_____

ÉCRIVEZ UNE NOTE PERSONNELLE OU UN OBJECTIF

_____

_____

_____

# JOUR 148

DATE:__/__/___

# L M M J V S D

## BIENVENUE DANS VOTRE JOURNAL QUOTIDIEN

## EXPRIMEZ VOTRE GRATITUDE AUJOURD'HUI POUR AVOIR ATTEINT UN OBJECTIF PERSONNEL

_____

ÉCRIVEZ UNE NOTE PERSONNELLE OU UN OBJECTIF

_____

_____

_____

# JOUR 149 DATE:__/__/___

## L M M J V S D

### BIENVENUE DANS VOTRE JOURNAL QUOTIDIEN

### EXPRIMEZ VOTRE GRATITUDE AUJOURD'HUI
### POUR VOTRE VICTOIRE

_____

ÉCRIVEZ UNE NOTE PERSONNELLE OU UN OBJECTIF

_____

_____

_____

# JOUR 150 DATE:__/__/___

## L M M J V S D

BIENVENUE DANS VOTRE JOURNAL QUOTIDIEN

EXPRIMEZ VOTRE GRATITUDE AUJOURD'HUI
POUR VOTRE CAPACITÉ À EXPLORER

_____

ÉCRIVEZ UNE NOTE PERSONNELLE OU UN OBJECTIF

_____

_____

# JOUR 151 DATE:__/__/___

## L M M J V S D

### BIENVENUE DANS VOTRE JOURNAL QUOTIDIEN

### EXPRIMEZ VOTRE GRATITUDE AUJOURD'HUI
### POUR AVOIR FAIT UNE DIFFÉRENCE

_____

ÉCRIVEZ UNE NOTE PERSONNELLE OU UN OBJECTIF

_____

_____

_____

# JOUR 152 DATE:__/__/___

## L M M J V S D

## BIENVENUE DANS VOTRE JOURNAL QUOTIDIEN

## EXPRIMEZ VOTRE GRATITUDE AUJOURD'HUI
## POUR VOS CITATIONS INSPIRANTES

_____

ÉCRIVEZ UNE NOTE PERSONNELLE OU UN OBJECTIF

_____

_____

_____

# JOUR 153 DATE:__/__/___

# L M M J V S D

## BIENVENUE DANS VOTRE JOURNAL QUOTIDIEN

## EXPRIMEZ VOTRE GRATITUDE AUJOURD'HUI POUR VOTRE ÉVÉNEMENT OU FESTIVAL ANNUEL

_____

ÉCRIVEZ UNE NOTE PERSONNELLE OU UN OBJECTIF

_____

_____

_____

# JOUR 154 DATE:__/__/___

## L M M J V S D

## BIENVENUE DANS VOTRE JOURNAL QUOTIDIEN

## EXPRIMEZ VOTRE GRATITUDE AUJOURD'HUI POUR
## AVOIR ÉTÉ AU BON ENDROIT ET AU BON MOMENT

_____

ÉCRIVEZ UNE NOTE PERSONNELLE OU UN OBJECTIF

_____

_____

_____

# JOUR 155 DATE:__/__/___

## L M M J V S D

### BIENVENUE DANS VOTRE JOURNAL QUOTIDIEN

### EXPRIMEZ VOTRE GRATITUDE AUJOURD'HUI
### POUR VOTRE RÉSILIENCE

---

ÉCRIVEZ UNE NOTE PERSONNELLE OU UN OBJECTIF

---

---

---

# JOUR 156 DATE: __/__/___

## L M M J V S D

## BIENVENUE DANS VOTRE JOURNAL QUOTIDIEN

## EXPRIMEZ VOTRE GRATITUDE AUJOURD'HUI
## POUR VOTRE PATIENCE

_____

ÉCRIVEZ UNE NOTE PERSONNELLE OU UN OBJECTIF

_____

_____

# JOUR 157 DATE:__/__/___

## L M M J V S D

## BIENVENUE DANS VOTRE JOURNAL QUOTIDIEN

## EXPRIMEZ VOTRE GRATITUDE AUJOURD'HUI POUR VOTRE AMOUR POUR QUELQU'UN

_____

ÉCRIVEZ UNE NOTE PERSONNELLE OU UN OBJECTIF

_____

_____

_____

# JOUR 158 DATE: __/__/___

## L M M J V S D

## BIENVENUE DANS VOTRE JOURNAL QUOTIDIEN

## EXPRIMEZ VOTRE GRATITUDE AUJOURD'HUI POUR VOTRE COMPRÉHENSION

_____

ÉCRIVEZ UNE NOTE PERSONNELLE OU UN OBJECTIF

_____

_____

# JOUR 159 DATE:__/__/___

## L M M J V S D

### BIENVENUE DANS VOTRE JOURNAL QUOTIDIEN

## EXPRIMEZ VOTRE GRATITUDE AUJOURD'HUI POUR AVOIR NOUÉ DES RELATIONS

_____

ÉCRIVEZ UNE NOTE PERSONNELLE OU UN OBJECTIF

_____

_____

_____

# JOUR 160 DATE: __/__/___

## L M M J V S D

### BIENVENUE DANS VOTRE JOURNAL QUOTIDIEN

### EXPRIMEZ VOTRE GRATITUDE AUJOURD'HUI POUR VOTRE ATTENTION

---

ÉCRIVEZ UNE NOTE PERSONNELLE OU UN OBJECTIF

---

---

---

# JOUR 161 DATE:__/__/___

## L M M J V S D

### BIENVENUE DANS VOTRE JOURNAL QUOTIDIEN

### EXPRIMEZ VOTRE GRATITUDE AUJOURD'HUI POUR VOTRE VOLONTÉ D'APPRENDRE

_____

ÉCRIVEZ UNE NOTE PERSONNELLE OU UN OBJECTIF

_____

_____

_____

# JOUR 162 DATE:__/__/___

## L M M J V S D

## BIENVENUE DANS VOTRE JOURNAL QUOTIDIEN

## EXPRIMEZ VOTRE GRATITUDE AUJOURD'HUI POUR LA MUSIQUE QUE VOUS AIMEZ

_____

ÉCRIVEZ UNE NOTE PERSONNELLE OU UN OBJECTIF

_____

_____

_____

# JOUR 163 DATE:__/__/___

## L M M J V S D

### BIENVENUE DANS VOTRE JOURNAL QUOTIDIEN

### EXPRIMEZ VOTRE GRATITUDE AUJOURD'HUI POUR VOS ÉCRITS PRÉFÉRÉS

_____

### ÉCRIVEZ UNE NOTE PERSONNELLE OU UN OBJECTIF

_____

_____

# JOUR 164

DATE:__/__/___

# L M M J V S D

## BIENVENUE DANS VOTRE JOURNAL QUOTIDIEN

## EXPRIMEZ VOTRE GRATITUDE AUJOURD'HUI POUR VOTRE RESTAURANT LOCAL

_____

ÉCRIVEZ UNE NOTE PERSONNELLE OU UN OBJECTIF

_____

_____

# JOUR 165 DATE: __/__/___

## L M M J V S D

## BIENVENUE DANS VOTRE JOURNAL QUOTIDIEN

## EXPRIMEZ VOTRE GRATITUDE AUJOURD'HUI POUR VOTRE BIEN-ÊTRE MENTAL

_____

ÉCRIVEZ UNE NOTE PERSONNELLE OU UN OBJECTIF

_____

_____

_____

# JOUR 166 DATE: __/__/___

## L M M J V S D

## BIENVENUE DANS VOTRE JOURNAL QUOTIDIEN

## EXPRIMEZ VOTRE GRATITUDE AUJOURD'HUI POUR AVOIR FAIT SOURIRE QUELQU'UN.

_____

ÉCRIVEZ UNE NOTE PERSONNELLE OU UN OBJECTIF

_____

_____

_____

# JOUR 167 DATE:__/__/___

## L M M J V S D

### BIENVENUE DANS VOTRE JOURNAL QUOTIDIEN

### EXPRIMEZ VOTRE GRATITUDE AUJOURD'HUI POUR VOUS ÊTRE SENTI SURPRIS ET RAVI

_____

ÉCRIVEZ UNE NOTE PERSONNELLE OU UN OBJECTIF

_____

_____

# JOUR 168 DATE:__/__/___

## L M M J V S D

## BIENVENUE DANS VOTRE JOURNAL QUOTIDIEN

## EXPRIMEZ VOTRE GRATITUDE AUJOURD'HUI POUR VOS ACTIVITÉS QUOTIDIENNES AGRÉABLES

_____

ÉCRIVEZ UNE NOTE PERSONNELLE OU UN OBJECTIF

_____

_____

_____

# JOUR 169 DATE:__/__/___

## L M M J V S D

### BIENVENUE DANS VOTRE JOURNAL QUOTIDIEN

### EXPRIMEZ VOTRE GRATITUDE AUJOURD'HUI POUR VOS AMITIÉS

_____

ÉCRIVEZ UNE NOTE PERSONNELLE OU UN OBJECTIF

_____

_____

_____

# JOUR 170 DATE:__/__/___
## L M M J V S D

BIENVENUE DANS VOTRE JOURNAL QUOTIDIEN

EXPRIMEZ VOTRE GRATITUDE AUJOURD'HUI POUR
LES ENTREPRISES PRÈS DE CHEZ VOUS

_____

ÉCRIVEZ UNE NOTE PERSONNELLE OU UN OBJECTIF

_____

_____

_____

# JOUR 171 DATE:__/__/___

## L M M J V S D

BIENVENUE DANS VOTRE JOURNAL QUOTIDIEN

EXPRIMEZ VOTRE GRATITUDE AUJOURD'HUI POUR
LA PLUIE QUI ARROSE LES PLANTES

_____

ÉCRIVEZ UNE NOTE PERSONNELLE OU UN OBJECTIF

_____

_____

_____

# JOUR 172 DATE:__/__/___

## L M M J V S D

### BIENVENUE DANS VOTRE JOURNAL QUOTIDIEN

### EXPRIMEZ VOTRE GRATITUDE AUJOURD'HUI POUR

### VOS INTERVENANTS D'URGENCE

_____

ÉCRIVEZ UNE NOTE PERSONNELLE OU UN OBJECTIF

_____

_____

_____

# JOUR 173 DATE:__/__/___
## L M M J V S D

## BIENVENUE DANS VOTRE JOURNAL QUOTIDIEN

## EXPRIMEZ VOTRE GRATITUDE AUJOURD'HUI POUR UNE JOURNÉE BELLE ET CALME

_____

## ÉCRIVEZ UNE NOTE PERSONNELLE OU UN OBJECTIF

_____

_____

_____

# JOUR 174

DATE:__/__/___

## L M M J V S D

## BIENVENUE DANS VOTRE JOURNAL QUOTIDIEN

## EXPRIMEZ VOTRE GRATITUDE AUJOURD'HUI POUR AVOIR ÉTÉ PRODUCTIF

_____

## ÉCRIVEZ UNE NOTE PERSONNELLE OU UN OBJECTIF

_____

_____

_____

# JOUR 175 DATE:__/__/___

## L M M J V S D

### BIENVENUE DANS VOTRE JOURNAL QUOTIDIEN

### EXPRIMEZ VOTRE GRATITUDE AUJOURD'HUI POUR VOTRE COLLABORATION AVEC LES AUTRES

_____

ÉCRIVEZ UNE NOTE PERSONNELLE OU UN OBJECTIF

_____

_____

_____

# JOUR 176
## DATE:__/__/___

# L M M J V S D

## BIENVENUE DANS VOTRE JOURNAL QUOTIDIEN

## EXPRIMEZ VOTRE GRATITUDE AUJOURD'HUI POUR AVOIR APPRÉCIÉ LES CHOSES

_____

ÉCRIVEZ UNE NOTE PERSONNELLE OU UN OBJECTIF

_____

_____

# JOUR 177 DATE:__/__/___

## L M M J V S D

### BIENVENUE DANS VOTRE JOURNAL QUOTIDIEN

### EXPRIMEZ VOTRE GRATITUDE AUJOURD'HUI POUR VOS IDÉES COMMERCIALES

_____

ÉCRIVEZ UNE NOTE PERSONNELLE OU UN OBJECTIF

_____

_____

_____

# JOUR 178 DATE:__/__/___

## L M M J V S D

## BIENVENUE DANS VOTRE JOURNAL QUOTIDIEN

## EXPRIMEZ VOTRE GRATITUDE AUJOURD'HUI POUR LES CHOSES QUI VOUS RENDENT HEUREUX

_____

ÉCRIVEZ UNE NOTE PERSONNELLE OU UN OBJECTIF

_____

_____

_____

# JOUR 179 DATE:_/__/___

## L M M J V S D

## BIENVENUE DANS VOTRE JOURNAL QUOTIDIEN

## EXPRIMEZ VOTRE GRATITUDE AUJOURD'HUI POUR UNE ATTITUDE POSITIVE

_____

ÉCRIVEZ UNE NOTE PERSONNELLE OU UN OBJECTIF

_____

_____

_____

# JOUR 180 DATE:__/__/___

## L M M J V S D

### BIENVENUE DANS VOTRE JOURNAL QUOTIDIEN

### EXPRIMEZ VOTRE GRATITUDE AUJOURD'HUI POUR LES LUMIÈRES ET LES DÉCORATIONS DES FÊTES

_____

ÉCRIVEZ UNE NOTE PERSONNELLE OU UN OBJECTIF

_____

_____

_____

# JOUR 181 DATE:__/__/___

## L M M J V S D

## BIENVENUE DANS VOTRE JOURNAL QUOTIDIEN

**\***

## EXPRIMEZ VOTRE GRATITUDE AUJOURD'HUI POUR VOTRE CONFIANCE

_____

ÉCRIVEZ UNE NOTE PERSONNELLE OU UN OBJECTIF

_____

_____

_____

# JOUR 182 DATE:__/__/___

## L M M J V S D

### BIENVENUE DANS VOTRE JOURNAL QUOTIDIEN

### EXPRIMEZ VOTRE GRATITUDE AUJOURD'HUI POUR VOTRE VIGUEUR

_____

### ÉCRIVEZ UNE NOTE PERSONNELLE OU UN OBJECTIF

_____

_____

_____

# JOUR 183 DATE:__/__/___

## L M M J V S D

### BIENVENUE DANS VOTRE JOURNAL QUOTIDIEN

### EXPRIMEZ VOTRE GRATITUDE AUJOURD'HUI POUR L'AMÉLIORATION DE VOTRE MORAL

_____

ÉCRIVEZ UNE NOTE PERSONNELLE OU UN OBJECTIF

_____

_____

_____

# JOUR 184 DATE: __/__/___

## L M M J V S D

### BIENVENUE DANS VOTRE JOURNAL QUOTIDIEN

### EXPRIMEZ VOTRE GRATITUDE AUJOURD'HUI POUR AVOIR DÉPASSÉ VOS ATTENTES

_____

ÉCRIVEZ UNE NOTE PERSONNELLE OU UN OBJECTIF

_____

_____

# JOUR 185 DATE:__/__/___

## L M M J V S D

BIENVENUE DANS VOTRE JOURNAL QUOTIDIEN

EXPRIMEZ VOTRE GRATITUDE AUJOURD'HUI POUR

VOTRE JEUNESSE

―――――――――――――――――――

ÉCRIVEZ UNE NOTE PERSONNELLE OU UN OBJECTIF

―――――――――――――――――――

―――――――――――――――――――

―――――――――――――――――――

# JOUR 186

DATE:__/__/___

# L M M J V S D

## BIENVENUE DANS VOTRE JOURNAL QUOTIDIEN

## EXPRIMEZ VOTRE GRATITUDE AUJOURD'HUI POUR VOS SPORTS PRÉFÉRÉS

_____

ÉCRIVEZ UNE NOTE PERSONNELLE OU UN OBJECTIF

_____

_____

_____

# JOUR 187 DATE:__/__/___

# L M M J V S D

## BIENVENUE DANS VOTRE JOURNAL QUOTIDIEN

## EXPRIMEZ VOTRE GRATITUDE AUJOURD'HUI POUR VOTRE OPTIMISME

_____

ÉCRIVEZ UNE NOTE PERSONNELLE OU UN OBJECTIF

_____

_____

_____

# JOUR 188 DATE:__/__/___

## L M M J V S D

## BIENVENUE DANS VOTRE JOURNAL QUOTIDIEN

EXPRIMEZ VOTRE GRATITUDE AUJOURD'HUI POUR
VOTRE CÉLÈBRE DANSE

_____

ÉCRIVEZ UNE NOTE PERSONNELLE OU UN OBJECTIF

_____

_____

_____

# JOUR 189 DATE:__/__/___

## L M M J V S D

BIENVENUE DANS VOTRE JOURNAL QUOTIDIEN

EXPRIMEZ VOTRE GRATITUDE AUJOURD'HUI POUR
VOTRE VOITURE PRÉFÉRÉE

---

ÉCRIVEZ UNE NOTE PERSONNELLE OU UN OBJECTIF

---

---

---

# JOUR 190

DATE:__/__/___

L M M J V S D

## BIENVENUE DANS VOTRE JOURNAL QUOTIDIEN

## EXPRIMEZ VOTRE GRATITUDE AUJOURD'HUI POUR VOTRE ANIMAL DE COMPAGNIE PRÉFÉRÉ

_____

ÉCRIVEZ UNE NOTE PERSONNELLE OU UN OBJECTIF

_____

_____

_____

# JOUR 191

DATE:_/__/___

L M M J V S D

BIENVENUE DANS VOTRE JOURNAL QUOTIDIEN

EXPRIMEZ VOTRE GRATITUDE AUJOURD'HUI POUR
LES COMMODITÉS DE LA VIE

_____

ÉCRIVEZ UNE NOTE PERSONNELLE OU UN OBJECTIF

_____

_____

# JOUR 192 DATE:__/___/___

## L M M J V S D

BIENVENUE DANS VOTRE JOURNAL QUOTIDIEN

EXPRIMEZ VOTRE GRATITUDE AUJOURD'HUI POUR VOTRE VITALITÉ

_____

ÉCRIVEZ UNE NOTE PERSONNELLE OU UN OBJECTIF

_____

_____

_____

# JOUR 193 DATE:__/__/___

## L M M J V S D

### BIENVENUE DANS VOTRE JOURNAL QUOTIDIEN

### EXPRIMEZ VOTRE GRATITUDE AUJOURD'HUI POUR VOTRE MOYEN DE TRANSPORT

_____

ÉCRIVEZ UNE NOTE PERSONNELLE OU UN OBJECTIF

_____

_____

_____

# JOUR 194 DATE:__/__/___

## L M M J V S D

## BIENVENUE DANS VOTRE JOURNAL QUOTIDIEN

## EXPRIMEZ VOTRE GRATITUDE AUJOURD'HUI POUR VOTRE LANGUE PRÉFÉRÉE

_____

ÉCRIVEZ UNE NOTE PERSONNELLE OU UN OBJECTIF

_____

_____

_____

# JOUR 195 DATE:_ _/_ _/_ _ _

## L M M J V S D

### BIENVENUE DANS VOTRE JOURNAL QUOTIDIEN

### EXPRIMEZ VOTRE GRATITUDE AUJOURD'HUI POUR VOTRE BEAUTÉ

---

ÉCRIVEZ UNE NOTE PERSONNELLE OU UN OBJECTIF

---

---

# JOUR 196 DATE:__/__/___

## L M M J V S D

### BIENVENUE DANS VOTRE JOURNAL QUOTIDIEN

### EXPRIMEZ VOTRE GRATITUDE AUJOURD'HUI POUR VOTRE GUÉRISON

_____

ÉCRIVEZ UNE NOTE PERSONNELLE OU UN OBJECTIF

_____

_____

_____

# JOUR 197

DATE:__/__/___

L M M J V S D

BIENVENUE DANS VOTRE JOURNAL QUOTIDIEN

EXPRIMEZ VOTRE GRATITUDE AUJOURD'HUI POUR
VOUS ÊTRE RÉVEILLÉ QUOTIDIENNEMENT

_____

ÉCRIVEZ UNE NOTE PERSONNELLE OU UN OBJECTIF

_____

_____

# JOUR 198 DATE:__/__/___

## L M M J V S D

## BIENVENUE DANS VOTRE JOURNAL QUOTIDIEN

## EXPRIMEZ VOTRE GRATITUDE AUJOURD'HUI POUR AVOIR SURVÉCU À CHAQUE JOURNÉE

_____

## ÉCRIVEZ UNE NOTE PERSONNELLE OU UN OBJECTIF

_____

_____

# JOUR 199

DATE:__/__/___

# L M M J V S D

## BIENVENUE DANS VOTRE JOURNAL QUOTIDIEN

## EXPRIMEZ VOTRE GRATITUDE AUJOURD'HUI POUR AVOIR UNE MAISON OÙ ALLER

_____

ÉCRIVEZ UNE NOTE PERSONNELLE OU UN OBJECTIF

_____

_____

# JOUR 200 DATE: __/__/___

## L M M J V S D

### BIENVENUE DANS VOTRE JOURNAL QUOTIDIEN

### EXPRIMEZ VOTRE GRATITUDE AUJOURD'HUI
### ENVERS VOS AMIS, LOINTAINS ET PROCHES

_____

ÉCRIVEZ UNE NOTE PERSONNELLE OU UN OBJECTIF

_____

_____

_____

# JOUR 201 DATE:__/__/___

## L M M J V S D

BIENVENUE DANS VOTRE JOURNAL QUOTIDIEN

EXPRIMEZ VOTRE GRATITUDE AUJOURD'HUI POUR
VOUS SENTIR CONNECTÉ À LA NATURE

_____

ÉCRIVEZ UNE NOTE PERSONNELLE OU UN OBJECTIF

_____

_____

_____

# JOUR 202

DATE:__/__/___

# L M M J V S D

## BIENVENUE DANS VOTRE JOURNAL QUOTIDIEN

## EXPRIMEZ VOTRE GRATITUDE AUJOURD'HUI POUR VOTRE FOURNISSEUR DE SOINS DE SANTÉ

_____

ÉCRIVEZ UNE NOTE PERSONNELLE OU UN OBJECTIF

_____

_____

_____

# JOUR 203 DATE:__/__/___

## L M M J V S D

### BIENVENUE DANS VOTRE JOURNAL QUOTIDIEN

### EXPRIMEZ VOTRE GRATITUDE AUJOURD'HUI POUR VOTRE GENTILLESSE ENVERS LES AUTRES

_____

ÉCRIVEZ UNE NOTE PERSONNELLE OU UN OBJECTIF

_____

_____

_____

# JOUR 204 DATE:__/__/___
## L M M J V S D

## BIENVENUE DANS VOTRE JOURNAL QUOTIDIEN

## EXPRIMEZ VOTRE GRATITUDE AUJOURD'HUI POUR VOTRE CAPACITÉ À SURVIVRE

_____

## ÉCRIVEZ UNE NOTE PERSONNELLE OU UN OBJECTIF

_____

_____

_____

# JOUR 205 DATE:__/__/___

## L M M J V S D

### BIENVENUE DANS VOTRE JOURNAL QUOTIDIEN

### EXPRIMEZ VOTRE GRATITUDE AUJOURD'HUI POUR VOS FÉLICITATIONS

_____

ÉCRIVEZ UNE NOTE PERSONNELLE OU UN OBJECTIF

_____

_____

_____

# JOUR 206 DATE:__/__/___

## L M M J V S D

BIENVENUE DANS VOTRE JOURNAL QUOTIDIEN

EXPRIMEZ VOTRE GRATITUDE AUJOURD'HUI POUR
VOUS ÊTRE SENTI À L'AISE

_____

ÉCRIVEZ UNE NOTE PERSONNELLE OU UN OBJECTIF

_____

_____

# JOUR 207 DATE:__/__/___

## L M M J V S D

## BIENVENUE DANS VOTRE JOURNAL QUOTIDIEN

## EXPRIMEZ VOTRE GRATITUDE AUJOURD'HUI POUR QUELQU'UN QUI EST LÀ POUR VOUS

_____

ÉCRIVEZ UNE NOTE PERSONNELLE OU UN OBJECTIF

_____

_____

_____

# JOUR 208 DATE:__/__/___

## L M M J V S D

### BIENVENUE DANS VOTRE JOURNAL QUOTIDIEN

### EXPRIMEZ VOTRE GRATITUDE AUJOURD'HUI POUR VOTRE ÉQUIPE LOCALE

_____

ÉCRIVEZ UNE NOTE PERSONNELLE OU UN OBJECTIF

_____

_____

_____

# JOUR 209 DATE:__/__/___

## L M M J V S D

BIENVENUE DANS VOTRE JOURNAL QUOTIDIEN

EXPRIMEZ VOTRE GRATITUDE AUJOURD'HUI POUR
UN MOMENT D'ÉPANOUISSEMENT

_____

ÉCRIVEZ UNE NOTE PERSONNELLE OU UN OBJECTIF

_____

_____

_____

# JOUR 210 DATE:__/__/___

## L M M J V S D

## BIENVENUE DANS VOTRE JOURNAL QUOTIDIEN

## EXPRIMEZ VOTRE GRATITUDE AUJOURD'HUI POUR UN ENVIRONNEMENT AGRÉABLE

_____

ÉCRIVEZ UNE NOTE PERSONNELLE OU UN OBJECTIF

_____

_____

# JOUR 211 DATE:__/__/___

## L M M J V S D

### BIENVENUE DANS VOTRE JOURNAL QUOTIDIEN

### EXPRIMEZ VOTRE GRATITUDE AUJOURD'HUI

### AUX PERSONNES PRÊTES À VOUS AIDER

_____

ÉCRIVEZ UNE NOTE PERSONNELLE OU UN OBJECTIF

_____

_____

_____

# JOUR 212 DATE:__/__/___
## L M M J V S D

## BIENVENUE DANS VOTRE JOURNAL QUOTIDIEN

## EXPRIMEZ VOTRE GRATITUDE AUJOURD'HUI POUR LES CHOSES QUI VOUS RÉCHAUFFENT LE CŒUR

_____

ÉCRIVEZ UNE NOTE PERSONNELLE OU UN OBJECTIF

_____

_____

_____

# JOUR 213 DATE:__/__/___

## L M M J V S D

BIENVENUE DANS VOTRE JOURNAL QUOTIDIEN

EXPRIMEZ VOTRE GRATITUDE AUJOURD'HUI POUR VOTRE PROFESSEUR PRÉFÉRÉ

_____

ÉCRIVEZ UNE NOTE PERSONNELLE OU UN OBJECTIF

_____

_____

_____

# JOUR 214 DATE: __/__/___

## L M M J V S D

## BIENVENUE DANS VOTRE JOURNAL QUOTIDIEN

## EXPRIMEZ VOTRE GRATITUDE AUJOURD'HUI POUR VOS MEILLEURS AMIS

_____

ÉCRIVEZ UNE NOTE PERSONNELLE OU UN OBJECTIF

_____

_____

# JOUR 215 DATE:__/__/___

## L M M J V S D

BIENVENUE DANS VOTRE JOURNAL QUOTIDIEN

EXPRIMEZ VOTRE GRATITUDE AUJOURD'HUI POUR LES CHOSES QUE VOUS AIMEZ

_____

ÉCRIVEZ UNE NOTE PERSONNELLE OU UN OBJECTIF

_____

_____

_____

# JOUR 216 DATE:__/__/___

## L M M J V S D

## BIENVENUE DANS VOTRE JOURNAL QUOTIDIEN

## EXPRIMEZ VOTRE GRATITUDE AUJOURD'HUI POUR VOTRE CAPACITÉ À RÉSOUDRE DES PROBLÈMES

---

ÉCRIVEZ UNE NOTE PERSONNELLE OU UN OBJECTIF

---

# JOUR 217 DATE:__/__/___

## L M M J V S D

## BIENVENUE DANS VOTRE JOURNAL QUOTIDIEN

EXPRIMEZ VOTRE GRATITUDE AUJOURD'HUI POUR
VOTRE CAPACITÉ À RÉALISER

_____

ÉCRIVEZ UNE NOTE PERSONNELLE OU UN OBJECTIF

_____

_____

_____

# JOUR 218 DATE:__/__/___

## L M M J V S D

## BIENVENUE DANS VOTRE JOURNAL QUOTIDIEN

## EXPRIMEZ VOTRE GRATITUDE AUJOURD'HUI POUR VOTRE CAPACITÉ À AIDER LES AUTRES

_____

ÉCRIVEZ UNE NOTE PERSONNELLE OU UN OBJECTIF

_____

_____

_____

# JOUR 219 DATE:__/__/___

## L M M J V S D

### BIENVENUE DANS VOTRE JOURNAL QUOTIDIEN

### EXPRIMEZ VOTRE GRATITUDE AUJOURD'HUI POUR VOS RÉFLEXIONS POSITIVES

_____

ÉCRIVEZ UNE NOTE PERSONNELLE OU UN OBJECTIF

_____

_____

_____

# JOUR 220

DATE:__/___/___

L M M J V S D

## BIENVENUE DANS VOTRE JOURNAL QUOTIDIEN

## EXPRIMEZ VOTRE GRATITUDE AUJOURD'HUI POUR L'AIDE DANS VOTRE CARRIÈRE

_____

ÉCRIVEZ UNE NOTE PERSONNELLE OU UN OBJECTIF

_____

_____

_____

# JOUR 221 DATE:_/__/___

## L M M J V S D

### BIENVENUE DANS VOTRE JOURNAL QUOTIDIEN

### EXPRIMEZ VOTRE GRATITUDE AUJOURD'HUI POUR AVOIR AIDÉ DANS LA CARRIÈRE DE QUELQU'UN

_____

### ÉCRIVEZ UNE NOTE PERSONNELLE OU UN OBJECTIF

_____

_____

_____

# JOUR 222 DATE:__/__/___

## L M M J V S D

## BIENVENUE DANS VOTRE JOURNAL QUOTIDIEN

## EXPRIMEZ VOTRE GRATITUDE AUJOURD'HUI POUR VOS BONNES RELATIONS AVEC LES GENS

_____

ÉCRIVEZ UNE NOTE PERSONNELLE OU UN OBJECTIF

_____

_____

# JOUR 223 DATE:__/__/___

# L M M J V S D

## BIENVENUE DANS VOTRE JOURNAL QUOTIDIEN

## EXPRIMEZ VOTRE GRATITUDE AUJOURD'HUI POUR VOTRE EXCELLENTE ÉDUCATION

_____

ÉCRIVEZ UNE NOTE PERSONNELLE OU UN OBJECTIF

_____

_____

_____

# JOUR 224 DATE:__/__/___

## L M M J V S D

## BIENVENUE DANS VOTRE JOURNAL QUOTIDIEN

## EXPRIMEZ VOTRE GRATITUDE AUJOURD'HUI POUR L'ENDROIT OÙ VOUS VOUS TROUVEZ

_____

ÉCRIVEZ UNE NOTE PERSONNELLE OU UN OBJECTIF

_____

_____

_____

# JOUR 225 DATE: __/__/___

## L M M J V S D

BIENVENUE DANS VOTRE JOURNAL QUOTIDIEN

EXPRIMEZ VOTRE GRATITUDE AUJOURD'HUI POUR VOS CAPACITÉS DE MOTIVATION

_____

ÉCRIVEZ UNE NOTE PERSONNELLE OU UN OBJECTIF

_____

_____

_____

# JOUR 226 DATE:__/__/___

## L M M J V S D

BIENVENUE DANS VOTRE JOURNAL QUOTIDIEN

EXPRIMEZ VOTRE GRATITUDE AUJOURD'HUI POUR
VOTRE INFLUENCE POSITIVE

_____

ÉCRIVEZ UNE NOTE PERSONNELLE OU UN OBJECTIF

_____

_____

_____

# JOUR 227 DATE:__/___/___

## L M M J V S D

### BIENVENUE DANS VOTRE JOURNAL QUOTIDIEN

### EXPRIMEZ VOTRE GRATITUDE AUJOURD'HUI POUR VOS SOUVENIRS AFFECTUEUX

_____

### ÉCRIVEZ UNE NOTE PERSONNELLE OU UN OBJECTIF

_____

_____

_____

# JOUR 228 DATE:__/__/___

## L M M J V S D

### BIENVENUE DANS VOTRE JOURNAL QUOTIDIEN

## EXPRIMEZ VOTRE GRATITUDE AUJOURD'HUI POUR LA GENTILLESSE DES AUTRES

---

ÉCRIVEZ UNE NOTE PERSONNELLE OU UN OBJECTIF

---

---

---

# JOUR 229 DATE:__/__/___

## L M M J V S D

### BIENVENUE DANS VOTRE JOURNAL QUOTIDIEN

### EXPRIMEZ VOTRE GRATITUDE AUJOURD'HUI POUR VOUS SENTIR EN PAIX AVEC VOUS-MÊME

_____

ÉCRIVEZ UNE NOTE PERSONNELLE OU UN OBJECTIF

_____

_____

_____

# JOUR 230 DATE:__/__/___

## L M M J V S D

## BIENVENUE DANS VOTRE JOURNAL QUOTIDIEN

## EXPRIMEZ VOTRE GRATITUDE AUJOURD'HUI POUR VOTRE COMMUNAUTÉ DE MÉDIAS SOCIAUX

_____

ÉCRIVEZ UNE NOTE PERSONNELLE OU UN OBJECTIF

_____

_____

# JOUR 231 DATE:__/__/___

## L M M J V S D

### BIENVENUE DANS VOTRE JOURNAL QUOTIDIEN

### EXPRIMEZ VOTRE GRATITUDE AUJOURD'HUI POUR AVOIR REÇU DES CADEAUX SURPRISES

_____

### ÉCRIVEZ UNE NOTE PERSONNELLE OU UN OBJECTIF

_____

_____

# JOUR 232

DATE:__/__/___

# L M M J V S D

## BIENVENUE DANS VOTRE JOURNAL QUOTIDIEN

EXPRIMEZ VOTRE GRATITUDE AUJOURD'HUI POUR
AVOIR ADMIRÉ LES QUALITÉS DE QUELQU'UN

_____

ÉCRIVEZ UNE NOTE PERSONNELLE OU UN OBJECTIF

_____

_____

_____

# JOUR 233 DATE:__/__/___

## L M M J V S D

### BIENVENUE DANS VOTRE JOURNAL QUOTIDIEN

### EXPRIMEZ VOTRE GRATITUDE AUJOURD'HUI
### POUR LES PERSONNES QUI VOUS APPRÉCIENT

_____

ÉCRIVEZ UNE NOTE PERSONNELLE OU UN OBJECTIF

_____

_____

# JOUR 234 DATE:__/__/___

# L M M J V S D

## BIENVENUE DANS VOTRE JOURNAL QUOTIDIEN

EXPRIMEZ VOTRE GRATITUDE AUJOURD'HUI POUR UN
ORGANISME DE BIENFAISANCE LOCAL OU UNE ORGANISATION
À BUT NON LUCRATIF

_____

ÉCRIVEZ UNE NOTE PERSONNELLE OU UN OBJECTIF

_____

_____

# JOUR 235 DATE:__/__/___

# L M M J V S D

## BIENVENUE DANS VOTRE JOURNAL QUOTIDIEN

## EXPRIMEZ VOTRE GRATITUDE AUJOURD'HUI POUR VOS DESTINATIONS DE VOYAGE PASSÉES

_____

ÉCRIVEZ UNE NOTE PERSONNELLE OU UN OBJECTIF

_____

_____

_____

# JOUR 236 DATE:__/__/___

# L M M J V S D

## BIENVENUE DANS VOTRE JOURNAL QUOTIDIEN

## EXPRIMEZ VOTRE GRATITUDE AUJOURD'HUI POUR AVOIR ACQUIS UNE COMPÉTENCE PRÉCIEUSE

_____

ÉCRIVEZ UNE NOTE PERSONNELLE OU UN OBJECTIF

_____

_____

# JOUR 237 DATE:__/__/___

## L M M J V S D

### BIENVENUE DANS VOTRE JOURNAL QUOTIDIEN

### EXPRIMEZ VOTRE GRATITUDE AUJOURD'HUI POUR AVOIR AIDÉ QUELQU'UN DANS LE BESOIN

———————————————————

### ÉCRIVEZ UNE NOTE PERSONNELLE OU UN OBJECTIF

———————————————————

———————————————————

———————————————————

# JOUR 238 DATE:__/__/___

## L M M J V S D

### BIENVENUE DANS VOTRE JOURNAL QUOTIDIEN

### EXPRIMEZ VOTRE GRATITUDE AUJOURD'HUI POUR VOUS SENTIR AIMÉ PAR QUELQU'UN

_____

ÉCRIVEZ UNE NOTE PERSONNELLE OU UN OBJECTIF

_____

_____

# JOUR 239 DATE:__/__/___

# L M M J V S D

## BIENVENUE DANS VOTRE JOURNAL QUOTIDIEN

## EXPRIMEZ VOTRE GRATITUDE AUJOURD'HUI POUR UN MENTOR OU UN COACH

_____

ÉCRIVEZ UNE NOTE PERSONNELLE OU UN OBJECTIF

_____

_____

_____

# JOUR 240 DATE:__/__/___
## L M M J V S D

## BIENVENUE DANS VOTRE JOURNAL QUOTIDIEN

## EXPRIMEZ VOTRE GRATITUDE AUJOURD'HUI POUR UN CRÉATEUR OU UN INFLUENCEUR EN LIGNE

_____

### ÉCRIVEZ UNE NOTE PERSONNELLE OU UN OBJECTIF

_____

_____

# JOUR 241 DATE:__/__/___

## L M M J V S D

BIENVENUE DANS VOTRE JOURNAL QUOTIDIEN

EXPRIMEZ VOTRE GRATITUDE AUJOURD'HUI POUR
AVOIR AMÉLIORÉ LA JOURNÉE DE QUELQU'UN

_____

ÉCRIVEZ UNE NOTE PERSONNELLE OU UN OBJECTIF

_____

_____

# JOUR 242 DATE:__/__/___

## L M M J V S D

## BIENVENUE DANS VOTRE JOURNAL QUOTIDIEN

## EXPRIMEZ VOTRE GRATITUDE AUJOURD'HUI POUR AVOIR ACCOMPLI UNE TÂCHE IMPORTANTE.

_____

ÉCRIVEZ UNE NOTE PERSONNELLE OU UN OBJECTIF

_____

_____

# JOUR 243 DATE:__/__/___

## L M M J V S D

### BIENVENUE DANS VOTRE JOURNAL QUOTIDIEN

### EXPRIMEZ VOTRE GRATITUDE AUJOURD'HUI POUR VOS ENCOURAGEMENTS

_____

ÉCRIVEZ UNE NOTE PERSONNELLE OU UN OBJECTIF

_____

_____

_____

# JOUR 244 DATE:__/__/___

## L M M J V S D

BIENVENUE DANS VOTRE JOURNAL QUOTIDIEN

EXPRIMEZ VOTRE GRATITUDE AUJOURD'HUI POUR UN ENVIRONNEMENT POSITIF

_____

ÉCRIVEZ UNE NOTE PERSONNELLE OU UN OBJECTIF

_____

_____

_____

# JOUR 245

DATE: __/__/___

L M M J V S D

## BIENVENUE DANS VOTRE JOURNAL QUOTIDIEN

## EXPRIMEZ VOTRE GRATITUDE AUJOURD'HUI POUR LES BELLES JOURNÉES ET NUITS

_____

ÉCRIVEZ UNE NOTE PERSONNELLE OU UN OBJECTIF

_____

_____

_____

# JOUR 246 DATE:_/__/___

## L M M J V S D

## BIENVENUE DANS VOTRE JOURNAL QUOTIDIEN

## EXPRIMEZ VOTRE GRATITUDE AUJOURD'HUI POUR LE GÉNIE CRÉATIF QUI EST EN VOUS

_____

ÉCRIVEZ UNE NOTE PERSONNELLE OU UN OBJECTIF

_____

_____

# JOUR 247 DATE:__/__/___

## L M M J V S D

## BIENVENUE DANS VOTRE JOURNAL QUOTIDIEN

## EXPRIMEZ VOTRE GRATITUDE AUJOURD'HUI POUR LA GÉNÉROSITÉ DES AUTRES

_____

ÉCRIVEZ UNE NOTE PERSONNELLE OU UN OBJECTIF

_____

_____

_____

# JOUR 248 DATE:__/__/___

## L M M J V S D

## BIENVENUE DANS VOTRE JOURNAL QUOTIDIEN

## EXPRIMEZ VOTRE GRATITUDE AUJOURD'HUI POUR VOTRE CAPACITÉ À EXCELLER

_____

ÉCRIVEZ UNE NOTE PERSONNELLE OU UN OBJECTIF

_____

_____

_____

# JOUR 249 DATE:__/__/___
## L M M J V S D

BIENVENUE DANS VOTRE JOURNAL QUOTIDIEN

EXPRIMEZ VOTRE GRATITUDE AUJOURD'HUI POUR VOTRE SANTÉ

_____

ÉCRIVEZ UNE NOTE PERSONNELLE OU UN OBJECTIF

_____

_____

_____

# JOUR 250 DATE:__/__/___

## L M M J V S D

BIENVENUE DANS VOTRE JOURNAL QUOTIDIEN

EXPRIMEZ VOTRE GRATITUDE AUJOURD'HUI POUR UNE ANNÉE PRODUCTIVE

_____

ÉCRIVEZ UNE NOTE PERSONNELLE OU UN OBJECTIF

_____

_____

_____

# JOUR 251 DATE:__/__/___

## L M M J V S D

## BIENVENUE DANS VOTRE JOURNAL QUOTIDIEN

## EXPRIMEZ VOTRE GRATITUDE AUJOURD'HUI POUR VOTRE ACCÈS À DIVERS ALIMENTS

_____

ÉCRIVEZ UNE NOTE PERSONNELLE OU UN OBJECTIF

_____

_____

_____

# JOUR 252

DATE:__/__/___

# L M M J V S D

## BIENVENUE DANS VOTRE JOURNAL QUOTIDIEN

## EXPRIMEZ VOTRE GRATITUDE AUJOURD'HUI POUR UNE MAISON UNIQUE

_____

ÉCRIVEZ UNE NOTE PERSONNELLE OU UN OBJECTIF

_____

_____

_____

# JOUR 253

DATE:__/__/___

# L M M J V S D

## BIENVENUE DANS VOTRE JOURNAL QUOTIDIEN

## EXPRIMEZ VOTRE GRATITUDE AUJOURD'HUI POUR VOTRE SOUTIEN INDÉFECTIBLE

_____

ÉCRIVEZ UNE NOTE PERSONNELLE OU UN OBJECTIF

_____

_____

_____

# JOUR 254 DATE:__/__/___

## L M M J V S D

### BIENVENUE DANS VOTRE JOURNAL QUOTIDIEN

### EXPRIMEZ VOTRE GRATITUDE AUJOURD'HUI POUR VOTRE MOITIÉ

_____

ÉCRIVEZ UNE NOTE PERSONNELLE OU UN OBJECTIF

_____

_____

# JOUR 255 DATE:__/__/___

## L M M J V S D

BIENVENUE DANS VOTRE JOURNAL QUOTIDIEN

EXPRIMEZ VOTRE GRATITUDE AUJOURD'HUI POUR
VOTRE EXPERTISE DANS UN DOMAINE

_____

ÉCRIVEZ UNE NOTE PERSONNELLE OU UN OBJECTIF

_____

_____

_____

# JOUR 256

DATE:__/__/___

# L M M J V S D

## BIENVENUE DANS VOTRE JOURNAL QUOTIDIEN

## EXPRIMEZ VOTRE GRATITUDE AUJOURD'HUI POUR VOTRE LIEU DE RASSEMBLEMENT

_____

ÉCRIVEZ UNE NOTE PERSONNELLE OU UN OBJECTIF

_____

_____

_____

# JOUR 257 DATE:__/__/___

## L M M J V S D

BIENVENUE DANS VOTRE JOURNAL QUOTIDIEN

EXPRIMEZ VOTRE GRATITUDE AUJOURD'HUI POUR
AVOIR PRIS SOIN DE VOUS-MÊME

_____

ÉCRIVEZ UNE NOTE PERSONNELLE OU UN OBJECTIF

_____

_____

_____

# JOUR 258 DATE:__/__/___

## L M M J V S D

### BIENVENUE DANS VOTRE JOURNAL QUOTIDIEN

### EXPRIMEZ VOTRE GRATITUDE AUJOURD'HUI POUR VOTRE HÉRITAGE CULTUREL

_____

ÉCRIVEZ UNE NOTE PERSONNELLE OU UN OBJECTIF

_____

_____

_____

# JOUR 259 DATE:__/__/___

## L M M J V S D

BIENVENUE DANS VOTRE JOURNAL QUOTIDIEN

EXPRIMEZ VOTRE GRATITUDE AUJOURD'HUI POUR
VOTRE SOURCE D'INSPIRATION

_____

ÉCRIVEZ UNE NOTE PERSONNELLE OU UN OBJECTIF

_____

_____

# JOUR 260 DATE:__/__/___

## L M M J V S D

## BIENVENUE DANS VOTRE JOURNAL QUOTIDIEN

## EXPRIMEZ VOTRE GRATITUDE AUJOURD'HUI POUR UN ESPACE DE TRAVAIL POSITIF

_____

ÉCRIVEZ UNE NOTE PERSONNELLE OU UN OBJECTIF

_____

_____

_____

# JOUR 261 DATE:__/__/___

## L M M J V S D

### BIENVENUE DANS VOTRE JOURNAL QUOTIDIEN

## EXPRIMEZ VOTRE GRATITUDE AUJOURD'HUI POUR UN AMI PROCHE

_____

ÉCRIVEZ UNE NOTE PERSONNELLE OU UN OBJECTIF

_____

_____

_____

# JOUR 262 DATE:__/__/___

## L M M J V S D

## BIENVENUE DANS VOTRE JOURNAL QUOTIDIEN

## EXPRIMEZ VOTRE GRATITUDE AUJOURD'HUI POUR AVOIR SURMONTÉ LA PEUR

_____

ÉCRIVEZ UNE NOTE PERSONNELLE OU UN OBJECTIF

_____

_____

_____

# JOUR 263 DATE:__/__/___

## L M M J V S D

### BIENVENUE DANS VOTRE JOURNAL QUOTIDIEN

### EXPRIMEZ VOTRE GRATITUDE AUJOURD'HUI AUX MEMBRES DE VOTRE FAMILLE PROCHE

_____

ÉCRIVEZ UNE NOTE PERSONNELLE OU UN OBJECTIF

_____

_____

_____

# JOUR 264 DATE:__/__/___

## L M M J V S D

## BIENVENUE DANS VOTRE JOURNAL QUOTIDIEN

## EXPRIMEZ VOTRE GRATITUDE AUJOURD'HUI POUR LA PAIX PENDANT UNE JOURNÉE MOUVEMENTÉE

_____

ÉCRIVEZ UNE NOTE PERSONNELLE OU UN OBJECTIF

_____

_____

_____

# JOUR 265 DATE:__/__/___

## L M M J V S D

### BIENVENUE DANS VOTRE JOURNAL QUOTIDIEN

### EXPRIMEZ VOTRE GRATITUDE AUJOURD'HUI POUR AVOIR RENCONTRÉ DE NOUVELLES PERSONNES

_____

ÉCRIVEZ UNE NOTE PERSONNELLE OU UN OBJECTIF

_____

_____

_____

# JOUR 266 DATE:__/__/___

## L M M J V S D

## BIENVENUE DANS VOTRE JOURNAL QUOTIDIEN

## EXPRIMEZ VOTRE GRATITUDE AUJOURD'HUI POUR AVOIR PARDONNÉ À QUELQU'UN

_____

ÉCRIVEZ UNE NOTE PERSONNELLE OU UN OBJECTIF

_____

_____

# JOUR 267 DATE:__/__/___

## L M M J V S D

BIENVENUE DANS VOTRE JOURNAL QUOTIDIEN

EXPRIMEZ VOTRE GRATITUDE AUJOURD'HUI POUR
AVOIR APPRÉCIÉ UN FILM

_____

ÉCRIVEZ UNE NOTE PERSONNELLE OU UN OBJECTIF

_____

_____

_____

# JOUR 268 DATE:__/__/___

## L M M J V S D

### BIENVENUE DANS VOTRE JOURNAL QUOTIDIEN

### EXPRIMEZ VOTRE GRATITUDE AUJOURD'HUI POUR AVOIR REDONNÉ À LA SOCIÉTÉ

_____

ÉCRIVEZ UNE NOTE PERSONNELLE OU UN OBJECTIF

_____

_____

_____

# JOUR 269

DATE:__/__/___

# L M M J V S D

## BIENVENUE DANS VOTRE JOURNAL QUOTIDIEN

## EXPRIMEZ VOTRE GRATITUDE AUJOURD'HUI POUR UN SOUTIEN INATTENDU

_____

ÉCRIVEZ UNE NOTE PERSONNELLE OU UN OBJECTIF

_____

_____

_____

# JOUR 270 DATE:__/__/___

## L M M J V S D

## BIENVENUE DANS VOTRE JOURNAL QUOTIDIEN

## EXPRIMEZ VOTRE GRATITUDE AUJOURD'HUI POUR UN EXCELLENT MENTOR DANS VOTRE VIE

_____

ÉCRIVEZ UNE NOTE PERSONNELLE OU UN OBJECTIF

_____

_____

# JOUR 271 DATE:__/__/___

## L M M J V S D

BIENVENUE DANS VOTRE JOURNAL QUOTIDIEN

EXPRIMEZ VOTRE GRATITUDE AUJOURD'HUI POUR
AVOIR ATTEINT UN OBJECTIF PERSONNEL

_____

ÉCRIVEZ UNE NOTE PERSONNELLE OU UN OBJECTIF

_____

_____

_____

# JOUR 272 DATE:__/__/___

## L M M J V S D

BIENVENUE DANS VOTRE JOURNAL QUOTIDIEN

EXPRIMEZ VOTRE GRATITUDE AUJOURD'HUI POUR
VOS SOURCES D'INFORMATION

_____

ÉCRIVEZ UNE NOTE PERSONNELLE OU UN OBJECTIF

_____

_____

# JOUR 273 DATE:__/__/___

## L M M J V S D

### BIENVENUE DANS VOTRE JOURNAL QUOTIDIEN

### EXPRIMEZ VOTRE GRATITUDE AUJOURD'HUI POUR AVOIR TROUVÉ L'INSPIRATION QUOTIDIENNE

_____

### ÉCRIVEZ UNE NOTE PERSONNELLE OU UN OBJECTIF

_____

_____

_____

# JOUR 274 DATE:_/__/___

## L M M J V S D

BIENVENUE DANS VOTRE JOURNAL QUOTIDIEN

EXPRIMEZ VOTRE GRATITUDE AUJOURD'HUI POUR
AVOIR ABANDONNÉ LE RESSENTIMENT

_____

ÉCRIVEZ UNE NOTE PERSONNELLE OU UN OBJECTIF

_____

_____

_____

# JOUR 275 DATE:__/__/___

## L M M J V S D

### BIENVENUE DANS VOTRE JOURNAL QUOTIDIEN

### EXPRIMEZ VOTRE GRATITUDE AUJOURD'HUI POUR VOTRE HUMILITÉ

_____

ÉCRIVEZ UNE NOTE PERSONNELLE OU UN OBJECTIF

_____

_____

_____

# JOUR 276 DATE:__/__/___

## L M M J V S D

### BIENVENUE DANS VOTRE JOURNAL QUOTIDIEN

EXPRIMEZ VOTRE GRATITUDE AUJOURD'HUI POUR
VOTRE APPRENTISSAGE CONTINU

_____

ÉCRIVEZ UNE NOTE PERSONNELLE OU UN OBJECTIF

_____

_____

_____

# JOUR 277 DATE:__/__/___

## L M M J V S D

### BIENVENUE DANS VOTRE JOURNAL QUOTIDIEN

### EXPRIMEZ VOTRE GRATITUDE AUJOURD'HUI POU AVOIR PRIS DE BONNES INITIATIVES

_____

ÉCRIVEZ UNE NOTE PERSONNELLE OU UN OBJECTIF

_____

_____

# JOUR 278 DATE:__/__/___

## L M M J V S D

BIENVENUE DANS VOTRE JOURNAL QUOTIDIEN

EXPRIMEZ VOTRE GRATITUDE AUJOURD'HUI POUR VOTRE INCROYABLE CRÉATIVITÉ

_____

ÉCRIVEZ UNE NOTE PERSONNELLE OU UN OBJECTIF

_____

_____

_____

# JOUR 279

**DATE:** __/__/___

# L M M J V S D

## BIENVENUE DANS VOTRE JOURNAL QUOTIDIEN

## EXPRIMEZ VOTRE GRATITUDE AUJOURD'HUI POUR AVOIR AMÉLIORÉ LA VIE DE QUELQU'UN

_____

ÉCRIVEZ UNE NOTE PERSONNELLE OU UN OBJECTIF

_____

_____

_____

# JOUR 280 DATE:__/__/___

## L M M J V S D

## BIENVENUE DANS VOTRE JOURNAL QUOTIDIEN

## EXPRIMEZ VOTRE GRATITUDE AUJOURD'HUI POUR UNE JOURNÉE AGRÉABLE ET PLUVIEUSE À L'INTÉRIEUR

_____

ÉCRIVEZ UNE NOTE PERSONNELLE OU UN OBJECTIF

_____

_____

# JOUR 281

DATE: __/__/___

L M M J V S D

BIENVENUE DANS VOTRE JOURNAL QUOTIDIEN

EXPRIMEZ VOTRE GRATITUDE AUJOURD'HUI POUR
VOS SORTIES ET VOS ENTRÉES

_____

ÉCRIVEZ UNE NOTE PERSONNELLE OU UN OBJECTIF

_____

_____

_____

# JOUR 282

DATE:__/__/___

# L M M J V S D

## BIENVENUE DANS VOTRE JOURNAL QUOTIDIEN

## EXPRIMEZ VOTRE GRATITUDE AUJOURD'HUI POUR VOTRE FAMILLE AIMANTE

_____

ÉCRIVEZ UNE NOTE PERSONNELLE OU UN OBJECTIF

_____

_____

# JOUR 283 DATE: __/__/___

## L M M J V S D

### BIENVENUE DANS VOTRE JOURNAL QUOTIDIEN

### EXPRIMEZ VOTRE GRATITUDE AUJOURD'HUI POUR UN PERSONNAGE BIEN FORMÉ

_____

ÉCRIVEZ UNE NOTE PERSONNELLE OU UN OBJECTIF

_____

_____

_____

# JOUR 284 DATE:__/__/___
## L M M J V S D

BIENVENUE DANS VOTRE JOURNAL QUOTIDIEN

EXPRIMEZ VOTRE GRATITUDE AUJOURD'HUI POUR
AVOIR DÉCOUVERT UN TALENT CACHÉ

_____

ÉCRIVEZ UNE NOTE PERSONNELLE OU UN OBJECTIF

_____

_____

_____

# JOUR 285

DATE: __/__/___

L M M J V S D

## BIENVENUE DANS VOTRE JOURNAL QUOTIDIEN

## EXPRIMEZ VOTRE GRATITUDE AUJOURD'HUI POUR UN ENVIRONNEMENT PROPRE

_____

ÉCRIVEZ UNE NOTE PERSONNELLE OU UN OBJECTIF

_____

_____

_____

# JOUR 286 DATE:__/__/___

## L M M J V S D

BIENVENUE DANS VOTRE JOURNAL QUOTIDIEN

EXPRIMEZ VOTRE GRATITUDE AUJOURD'HUI POUR
VOTRE FORT MOI INTÉRIEUR

_____

ÉCRIVEZ UNE NOTE PERSONNELLE OU UN OBJECTIF

_____

_____

_____

# JOUR 287

DATE:__/__/___

L M M J V S D

## BIENVENUE DANS VOTRE JOURNAL QUOTIDIEN

## EXPRIMEZ VOTRE GRATITUDE AUJOURD'HUI POUR AVOIR ATTEINT UN OBJECTIF

_____

ÉCRIVEZ UNE NOTE PERSONNELLE OU UN OBJECTIF

_____

_____

_____

# JOUR 288

DATE:__/__/___

# L M M J V S D

## BIENVENUE DANS VOTRE JOURNAL QUOTIDIEN

## EXPRIMEZ VOTRE GRATITUDE AUJOURD'HUI POUR LE CALME DE LA NATURE

_____

ÉCRIVEZ UNE NOTE PERSONNELLE OU UN OBJECTIF

_____

_____

# JOUR 289 DATE:__/__/___

## L M M J V S D

### BIENVENUE DANS VOTRE JOURNAL QUOTIDIEN

### EXPRIMEZ VOTRE GRATITUDE AUJOURD'HUI POUR UN ENDROIT OÙ VOUS REPOSER À LA MAISON

___

ÉCRIVEZ UNE NOTE PERSONNELLE OU UN OBJECTIF

___

# JOUR 290 DATE:__/__/___

## L M M J V S D

## BIENVENUE DANS VOTRE JOURNAL QUOTIDIEN

EXPRIMEZ VOTRE GRATITUDE AUJOURD'HUI POUR
LA LOYAUTÉ DE QUELQU'UN ENVERS VOUS

_____

ÉCRIVEZ UNE NOTE PERSONNELLE OU UN OBJECTIF

_____

_____

_____

# JOUR 291 DATE:__/__/___

## L M M J V S D

### BIENVENUE DANS VOTRE JOURNAL QUOTIDIEN

### EXPRIMEZ VOTRE GRATITUDE AUJOURD'HUI POUR VOUS SENTIR EN PAIX

_____

ÉCRIVEZ UNE NOTE PERSONNELLE OU UN OBJECTIF

_____

_____

_____

# JOUR 292 DATE:__/__/___

## L M M J V S D

BIENVENUE DANS VOTRE JOURNAL QUOTIDIEN

EXPRIMEZ VOTRE GRATITUDE AUJOURD'HUI

POUR ÊTRE UNE PERSONNE OPTIMISTE

_____

ÉCRIVEZ UNE NOTE PERSONNELLE OU UN OBJECTIF

_____

_____

_____

# JOUR 293 DATE:__/__/___

# L M M J V S D

## BIENVENUE DANS VOTRE JOURNAL QUOTIDIEN

## EXPRIMEZ VOTRE GRATITUDE AUJOURD'HUI
## POUR LA GENTILLESSE D'UN ENFANT

_____

ÉCRIVEZ UNE NOTE PERSONNELLE OU UN OBJECTIF

_____

_____

_____

# JOUR 294 DATE:__/__/___

## L M M J V S D

### BIENVENUE DANS VOTRE JOURNAL QUOTIDIEN

### EXPRIMEZ VOTRE GRATITUDE AUJOURD'HUI

### POUR AVOIR MENÉ UNE VIE SAINE

_____

ÉCRIVEZ UNE NOTE PERSONNELLE OU UN OBJECTIF

_____

_____

# JOUR 295 DATE:__/__/___

## L M M J V S D

## BIENVENUE DANS VOTRE JOURNAL QUOTIDIEN

## EXPRIMEZ VOTRE GRATITUDE AUJOURD'HUI

## POUR LES CHOSES QUOTIDIENNES À FAIRE

———————————————————

ÉCRIVEZ UNE NOTE PERSONNELLE OU UN OBJECTIF

———————————————————

———————————————————

———————————————————

# JOUR 296 DATE:__/__/___

## L M M J V S D

BIENVENUE DANS VOTRE JOURNAL QUOTIDIEN

EXPRIMEZ VOTRE GRATITUDE AUJOURD'HUI POUR

AVOIR RÉUSSI À RÉSOUDRE LES PROBLÈMES

_____

ÉCRIVEZ UNE NOTE PERSONNELLE OU UN OBJECTIF

_____

_____

_____

# JOUR 297

DATE:__/__/___

## L M M J V S D

## BIENVENUE DANS VOTRE JOURNAL QUOTIDIEN

## EXPRIMEZ VOTRE GRATITUDE AUJOURD'HUI POUR UNE PERCÉE

_____

ÉCRIVEZ UNE NOTE PERSONNELLE OU UN OBJECTIF

_____

_____

_____

# JOUR 298 DATE:__/__/___

## L M M J V S D

## BIENVENUE DANS VOTRE JOURNAL QUOTIDIEN

## EXPRIMEZ VOTRE GRATITUDE AUJOURD'HUI

## POUR VOS COMPÉTENCES EN LEADERSHIP

_____

ÉCRIVEZ UNE NOTE PERSONNELLE OU UN OBJECTIF

_____

_____

_____

# JOUR 299

DATE:__/__/___

# L M M J V S D

## BIENVENUE DANS VOTRE JOURNAL QUOTIDIEN

## EXPRIMEZ VOTRE GRATITUDE AUJOURD'HUI
## POUR UNE VIE AGRÉABLE

---

ÉCRIVEZ UNE NOTE PERSONNELLE OU UN OBJECTIF

---

---

---

# JOUR 300 DATE:__/__/___

## L M M J V S D

## BIENVENUE DANS VOTRE JOURNAL QUOTIDIEN

## EXPRIMEZ VOTRE GRATITUDE AUJOURD'HUI POUR LE MOMENT OÙ VOUS AVEZ GAGNÉ QUELQUE CHOSE

_____

## ÉCRIVEZ UNE NOTE PERSONNELLE OU UN OBJECTIF

_____

_____

_____

# JOUR 301 DATE:__/__/___

## L M M J V S D

BIENVENUE DANS VOTRE JOURNAL QUOTIDIEN

EXPRIMEZ VOTRE GRATITUDE AUJOURD'HUI
POUR VOS MOMENTS DE CALME

---

ÉCRIVEZ UNE NOTE PERSONNELLE OU UN OBJECTIF

---

---

---

# JOUR 302 DATE:__/__/___

## L M M J V S D

BIENVENUE DANS VOTRE JOURNAL QUOTIDIEN

EXPRIMEZ VOTRE GRATITUDE AUJOURD'HUI
POUR VOS PROGRÈS QUOTIDIENS

_____

ÉCRIVEZ UNE NOTE PERSONNELLE OU UN OBJECTIF

_____

_____

# JOUR 303 DATE:__/__/___

## L M M J V S D

### BIENVENUE DANS VOTRE JOURNAL QUOTIDIEN

## EXPRIMEZ VOTRE GRATITUDE AUJOURD'HUI

## POUR AVOIR REÇU L'INSPIRATION

_____

ÉCRIVEZ UNE NOTE PERSONNELLE OU UN OBJECTIF

_____

_____

_____

# JOUR 304 DATE:__/__/___

## L M M J V S D

## BIENVENUE DANS VOTRE JOURNAL QUOTIDIEN

## EXPRIMEZ VOTRE GRATITUDE AUJOURD'HUI POUR LE MOMENT OÙ VOUS AVEZ REÇU UNE RÉCOMPENSE

_____

ÉCRIVEZ UNE NOTE PERSONNELLE OU UN OBJECTIF

_____

_____

_____

# JOUR 305 DATE:__/__/___

## L M M J V S D

### BIENVENUE DANS VOTRE JOURNAL QUOTIDIEN

### EXPRIMEZ VOTRE GRATITUDE AUJOURD'HUI
### POUR VOUS ÊTRE CONNECTÉ SPIRITUELLEMENT

_____

ÉCRIVEZ UNE NOTE PERSONNELLE OU UN OBJECTIF

_____

_____

_____

# JOUR 306

DATE:__/__/___

# L M M J V S D

## BIENVENUE DANS VOTRE JOURNAL QUOTIDIEN

## EXPRIMEZ VOTRE GRATITUDE AUJOURD'HUI

## POUR UNE AGRÉABLE SURPRISE

_____

ÉCRIVEZ UNE NOTE PERSONNELLE OU UN OBJECTIF

_____

_____

# JOUR 307 DATE:__/__/___

## L M M J V S D

BIENVENUE DANS VOTRE JOURNAL QUOTIDIEN

EXPRIMEZ VOTRE GRATITUDE AUJOURD'HUI

POUR LES TRADITIONS DE VACANCES UNIQUES

_____

ÉCRIVEZ UNE NOTE PERSONNELLE OU UN OBJECTIF

_____

_____

# JOUR 308 DATE:__/__/___
## L M M J V S D

## BIENVENUE DANS VOTRE JOURNAL QUOTIDIEN

## EXPRIMEZ VOTRE GRATITUDE AUJOURD'HUI POUR UNE OCCASION MÉMORABLE

_____

ÉCRIVEZ UNE NOTE PERSONNELLE OU UN OBJECTIF

_____

_____

# JOUR 309 DATE:__/__/___

## L M M J V S D

## BIENVENUE DANS VOTRE JOURNAL QUOTIDIEN

## EXPRIMEZ VOTRE GRATITUDE AUJOURD'HUI POUR

## VOTRE ACTIVITÉ PHYSIQUE

_____

ÉCRIVEZ UNE NOTE PERSONNELLE OU UN OBJECTIF

_____

_____

_____

# JOUR 310 DATE:__/__/___

## L M M J V S D

## BIENVENUE DANS VOTRE JOURNAL QUOTIDIEN

## EXPRIMEZ VOTRE GRATITUDE AUJOURD'HUI POUR AVOIR DÉPASSÉ VOS ATTENTES

_____

ÉCRIVEZ UNE NOTE PERSONNELLE OU UN OBJECTIF

_____

_____

# JOUR 311 DATE:__/__/___

## L M M J V S D

### BIENVENUE DANS VOTRE JOURNAL QUOTIDIEN

### EXPRIMEZ VOTRE GRATITUDE AUJOURD'HUI POUR AVOIR ÉTÉ GENTIL AVEC VOUS-MÊME

_____

ÉCRIVEZ UNE NOTE PERSONNELLE OU UN OBJECTIF

_____

_____

_____

# JOUR 312 DATE:__/__/___

## L M M J V S D

### BIENVENUE DANS VOTRE JOURNAL QUOTIDIEN

### EXPRIMEZ VOTRE GRATITUDE AUJOURD'HUI
### POUR UN PRÉCIEUX CONSEIL

_____

ÉCRIVEZ UNE NOTE PERSONNELLE OU UN OBJECTIF

_____

_____

# JOUR 313 DATE:__/__/___

## L M M J V S D

### BIENVENUE DANS VOTRE JOURNAL QUOTIDIEN

### EXPRIMEZ VOTRE GRATITUDE AUJOURD'HUI
### POUR UN AVENIR RADIEUX

---

ÉCRIVEZ UNE NOTE PERSONNELLE OU UN OBJECTIF

---

---

# JOUR 314 DATE: __/__/___

## L M M J V S D

## BIENVENUE DANS VOTRE JOURNAL QUOTIDIEN

## EXPRIMEZ VOTRE GRATITUDE AUJOURD'HUI POUR UN MEMBRE FORMIDABLE DE VOTRE FAMILLE

_____

ÉCRIVEZ UNE NOTE PERSONNELLE OU UN OBJECTIF

_____

_____

# JOUR 315 DATE:__/__/___

## L M M J V S D

### BIENVENUE DANS VOTRE JOURNAL QUOTIDIEN

### EXPRIMEZ VOTRE GRATITUDE AUJOURD'HUI

### POUR LES AGRÉABLES SURPRISES

_____

ÉCRIVEZ UNE NOTE PERSONNELLE OU UN OBJECTIF

_____

_____

# JOUR 316 DATE:__/__/___

## L M M J V S D

## BIENVENUE DANS VOTRE JOURNAL QUOTIDIEN

## EXPRIMEZ VOTRE GRATITUDE AUJOURD'HUI
## POUR AVOIR ÉTÉ UN MODÈLE POUR LES AUTRES

_____

ÉCRIVEZ UNE NOTE PERSONNELLE OU UN OBJECTIF

_____

_____

_____

# JOUR 317 DATE: __/__/___

## L M M J V S D

BIENVENUE DANS VOTRE JOURNAL QUOTIDIEN

EXPRIMEZ VOTRE GRATITUDE AUJOURD'HUI

POUR VOS RÉALISATIONS

_____

ÉCRIVEZ UNE NOTE PERSONNELLE OU UN OBJECTIF

_____

_____

_____

# JOUR 318 DATE:__/__/___

## L M M J V S D

BIENVENUE DANS VOTRE JOURNAL QUOTIDIEN

EXPRIMEZ VOTRE GRATITUDE AUJOURD'HUI

POUR AVOIR REÇU UN REMERCIEMENT

_____

ÉCRIVEZ UNE NOTE PERSONNELLE OU UN OBJECTIF

_____

_____

_____

# JOUR 319 DATE:__/__/___

## L M M J V S D

### BIENVENUE DANS VOTRE JOURNAL QUOTIDIEN

### EXPRIMEZ VOTRE GRATITUDE AUJOURD'HUI
### POUR AVOIR CONNU LE SUCCÈS

_____

ÉCRIVEZ UNE NOTE PERSONNELLE OU UN OBJECTIF

_____

_____

_____

# JOUR 320 DATE:__/__/___

## L M M J V S D

## BIENVENUE DANS VOTRE JOURNAL QUOTIDIEN

## EXPRIMEZ VOTRE GRATITUDE AUJOURD'HUI POUR LES MOMENTS AGRÉABLES

_____

ÉCRIVEZ UNE NOTE PERSONNELLE OU UN OBJECTIF

_____

_____

# JOUR 321 DATE:__/__/___

## L M M J V S D

### BIENVENUE DANS VOTRE JOURNAL QUOTIDIEN

## EXPRIMEZ VOTRE GRATITUDE AUJOURD'HUI
## POUR QUELQU'UN QUE VOUS APPRÉCIEZ

_____

ÉCRIVEZ UNE NOTE PERSONNELLE OU UN OBJECTIF

_____

_____

# JOUR 322 DATE:__/__/___

## L M M J V S D

### BIENVENUE DANS VOTRE JOURNAL QUOTIDIEN

## EXPRIMEZ VOTRE GRATITUDE AUJOURD'HUI
## POUR VOUS ÊTRE SENTI INSPIRÉ

_____

ÉCRIVEZ UNE NOTE PERSONNELLE OU UN OBJECTIF

_____

_____

_____

# JOUR 323 DATE:__/__/___

## L M M J V S D

### BIENVENUE DANS VOTRE JOURNAL QUOTIDIEN

### EXPRIMEZ VOTRE GRATITUDE AUJOURD'HUI
### POUR  VOTRE GÉNÉROSITÉ

_____

ÉCRIVEZ UNE NOTE PERSONNELLE OU UN OBJECTIF

_____

_____

_____

# JOUR 324 DATE:__/__/___

## L M M J V S D

## BIENVENUE DANS VOTRE JOURNAL QUOTIDIEN

## EXPRIMEZ VOTRE GRATITUDE AUJOURD'HUI POUR ÊTRE RESTÉ MENTALEMENT VIF

_____

ÉCRIVEZ UNE NOTE PERSONNELLE OU UN OBJECTIF

_____

_____

_____

# JOUR 325 DATE: __/__/___

## L M M J V S D

BIENVENUE DANS VOTRE JOURNAL QUOTIDIEN

EXPRIMEZ VOTRE GRATITUDE AUJOURD'HUI POUR UN GESTE AIMABLE

_____

ÉCRIVEZ UNE NOTE PERSONNELLE OU UN OBJECTIF

_____

_____

_____

# JOUR 326

DATE:__/__/___

# L M M J V S D

## BIENVENUE DANS VOTRE JOURNAL QUOTIDIEN

## EXPRIMEZ VOTRE GRATITUDE AUJOURD'HUI
## POUR VOTRE CONFORT

_____

ÉCRIVEZ UNE NOTE PERSONNELLE OU UN OBJECTIF

_____

_____

_____

# JOUR 327 DATE: __/__/___

## L M M J V S D

## BIENVENUE DANS VOTRE JOURNAL QUOTIDIEN

\*

## EXPRIMEZ VOTRE GRATITUDE AUJOURD'HUI POUR UNE LUMIÈRE DIRECTRICE DANS VOTRE VIE

_____

ÉCRIVEZ UNE NOTE PERSONNELLE OU UN OBJECTIF

_____

_____

_____

# JOUR 328 DATE:__/__/___

## L M M J V S D

## BIENVENUE DANS VOTRE JOURNAL QUOTIDIEN

## EXPRIMEZ VOTRE GRATITUDE AUJOURD'HUI
## POUR VOUS ÊTRE ADAPTÉ AUX CHANGEMENTS

_____

ÉCRIVEZ UNE NOTE PERSONNELLE OU UN OBJECTIF

_____

_____

# JOUR 329

**DATE:**__/__/___

## L M M J V S D

## BIENVENUE DANS VOTRE JOURNAL QUOTIDIEN

## EXPRIMEZ VOTRE GRATITUDE AUJOURD'HUI POUR VOTRE PASSE-TEMPS

_____

ÉCRIVEZ UNE NOTE PERSONNELLE OU UN OBJECTIF

_____

_____

_____

# JOUR 330

DATE:__/__/___

L M M J V S D

## BIENVENUE DANS VOTRE JOURNAL QUOTIDIEN

## EXPRIMEZ VOTRE GRATITUDE AUJOURD'HUI POUR AVOIR PRATIQUÉ LA PLEINE CONSCIENCE

_____

ÉCRIVEZ UNE NOTE PERSONNELLE OU UN OBJECTIF

_____

_____

# JOUR 331 DATE:__/__/___

## L M M J V S D

## BIENVENUE DANS VOTRE JOURNAL QUOTIDIEN

## EXPRIMEZ VOTRE GRATITUDE AUJOURD'HUI POUR UN COMPLIMENT INATTENDU

_____

ÉCRIVEZ UNE NOTE PERSONNELLE OU UN OBJECTIF

_____

_____

_____

# JOUR 332 DATE: __/__/___

## L M M J V S D

BIENVENUE DANS VOTRE JOURNAL QUOTIDIEN

EXPRIMEZ VOTRE GRATITUDE AUJOURD'HUI POUR VOTRE SOUTIEN AUX ÉVÉNEMENTS LOCAUX

_____

ÉCRIVEZ UNE NOTE PERSONNELLE OU UN OBJECTIF

_____

_____

_____

# JOUR 333

DATE:__/__/___

L M M J V S D

BIENVENUE DANS VOTRE JOURNAL QUOTIDIEN

EXPRIMEZ VOTRE GRATITUDE AUJOURD'HUI POUR
LES LEVERS ET COUCHERS DE SOLEIL

_____

ÉCRIVEZ UNE NOTE PERSONNELLE OU UN OBJECTIF

_____

_____

# JOUR 334

**DATE:__/__/___**

## L M M J V S D

## BIENVENUE DANS VOTRE JOURNAL QUOTIDIEN

### EXPRIMEZ VOTRE GRATITUDE AUJOURD'HUI
### POUR LA GESTION DES ROUTINES QUOTIDIENNES

_____

ÉCRIVEZ UNE NOTE PERSONNELLE OU UN OBJECTIF

_____

_____

# JOUR 335 DATE:__/__/___
## L M M J V S D

BIENVENUE DANS VOTRE JOURNAL QUOTIDIEN

EXPRIMEZ VOTRE GRATITUDE AUJOURD'HUI À UNE
PERSONNE DE RÉFÉRENCE POUR OBTENIR DES CONSEILS

_____

ÉCRIVEZ UNE NOTE PERSONNELLE OU UN OBJECTIF

_____

_____

_____

# JOUR 336 DATE: __/__/___

## L M M J V S D

BIENVENUE DANS VOTRE JOURNAL QUOTIDIEN

EXPRIMEZ VOTRE GRATITUDE AUJOURD'HUI

POUR UNE ACTIVITÉ ENRICHISSANTE

_____

ÉCRIVEZ UNE NOTE PERSONNELLE OU UN OBJECTIF

_____

_____

_____

# JOUR 337 DATE:__/__/___

## L M M J V S D

## BIENVENUE DANS VOTRE JOURNAL QUOTIDIEN

## EXPRIMEZ VOTRE GRATITUDE AUJOURD'HUI
## POUR AVOIR PRIS UNE DÉCISION DIFFICILE

_____

ÉCRIVEZ UNE NOTE PERSONNELLE OU UN OBJECTIF

_____

_____

# JOUR 338 DATE: __/__/___

## L M M J V S D

## BIENVENUE DANS VOTRE JOURNAL QUOTIDIEN

EXPRIMEZ VOTRE GRATITUDE AUJOURD'HUI POUR
AVOIR APPRIS AUPRÈS DE DIVERS GROUPES

_____

ÉCRIVEZ UNE NOTE PERSONNELLE OU UN OBJECTIF

_____

_____

_____

# JOUR 339 DATE:__/__/___

## L M M J V S D

### BIENVENUE DANS VOTRE JOURNAL QUOTIDIEN

### EXPRIMEZ VOTRE GRATITUDE AUJOURD'HUI
### POUR LES ACTIVITÉS QUE VOUS AVEZ RÉALISÉES

_____

ÉCRIVEZ UNE NOTE PERSONNELLE OU UN OBJECTIF

_____

_____

_____

# JOUR 340

DATE: __/__/___

L M M J V S D

BIENVENUE DANS VOTRE JOURNAL QUOTIDIEN

EXPRIMEZ VOTRE GRATITUDE AUJOURD'HUI

POUR AVOIR RÉUSSI À RELEVER LES DÉFIS

_____

ÉCRIVEZ UNE NOTE PERSONNELLE OU UN OBJECTIF

_____

_____

# JOUR 341 DATE:__/__/___

## L M M J V S D

## BIENVENUE DANS VOTRE JOURNAL QUOTIDIEN

EXPRIMEZ VOTRE GRATITUDE AUJOURD'HUI POUR
QUELQUE CHOSE DE NOUVEAU ET D'EXCITANT

---

ÉCRIVEZ UNE NOTE PERSONNELLE OU UN OBJECTIF

---

---

---

# JOUR 342 DATE:__/__/___

## L M M J V S D

## BIENVENUE DANS VOTRE JOURNAL QUOTIDIEN

## EXPRIMEZ VOTRE GRATITUDE AUJOURD'HUI POUR LES ÉVÉNEMENTS COMMUNAUTAIRES LOCAUX

_____

## ÉCRIVEZ UNE NOTE PERSONNELLE OU UN OBJECTIF

_____

_____

# JOUR 343 DATE:__/__/___
## L M M J V S D

## BIENVENUE DANS VOTRE JOURNAL QUOTIDIEN

## EXPRIMEZ VOTRE GRATITUDE AUJOURD'HUI
## POUR AVOIR TROUVÉ VOTRE PAIX INTÉRIEURE

_____

ÉCRIVEZ UNE NOTE PERSONNELLE OU UN OBJECTIF

_____

_____

_____

# JOUR 344 DATE:__/__/___

## L M M J V S D

### BIENVENUE DANS VOTRE JOURNAL QUOTIDIEN

### EXPRIMEZ VOTRE GRATITUDE AUJOURD'HUI
### POUR AVOIR SURMONTÉ UN DÉFI

_____

ÉCRIVEZ UNE NOTE PERSONNELLE OU UN OBJECTIF

_____

_____

_____

# JOUR 345

DATE:__/__/___

## L M M J V S D

### BIENVENUE DANS VOTRE JOURNAL QUOTIDIEN

### EXPRIMEZ VOTRE GRATITUDE AUJOURD'HUI

### POUR VOS VICTOIRES

_____

ÉCRIVEZ UNE NOTE PERSONNELLE OU UN OBJECTIF

_____

_____

# JOUR 346

DATE:__/__/___

L M M J V S D

## BIENVENUE DANS VOTRE JOURNAL QUOTIDIEN

## EXPRIMEZ VOTRE GRATITUDE AUJOURD'HUI POUR AVOIR FAVORISÉ LA PAIX

_____

ÉCRIVEZ UNE NOTE PERSONNELLE OU UN OBJECTIF

_____

_____

# JOUR 347 DATE:__/__/___

## L M M J V S D

### BIENVENUE DANS VOTRE JOURNAL QUOTIDIEN

### EXPRIMEZ VOTRE GRATITUDE AUJOURD'HUI POUR QUELQU'UN QUI VOUS FAIT CONFIANCE

_____

ÉCRIVEZ UNE NOTE PERSONNELLE OU UN OBJECTIF

_____

_____

_____

# JOUR 348 DATE:__/__/___

## L M M J V S D

## BIENVENUE DANS VOTRE JOURNAL QUOTIDIEN

## EXPRIMEZ VOTRE GRATITUDE AUJOURD'HUI POUR AVOIR FAVORISÉ LE TRAVAIL D'ÉQUIPE

_____

ÉCRIVEZ UNE NOTE PERSONNELLE OU UN OBJECTIF

_____

_____

# JOUR 349 DATE:__/__/___

## L M M J V S D

### BIENVENUE DANS VOTRE JOURNAL QUOTIDIEN

### EXPRIMEZ VOTRE GRATITUDE AUJOURD'HUI POUR VOTRE FOYER

_____

ÉCRIVEZ UNE NOTE PERSONNELLE OU UN OBJECTIF

_____

_____

# JOUR 350 DATE:__/__/___

## L M M J V S D

## BIENVENUE DANS VOTRE JOURNAL QUOTIDIEN

## EXPRIMEZ VOTRE GRATITUDE AUJOURD'HUI POUR VOS PROCHES

_____

ÉCRIVEZ UNE NOTE PERSONNELLE OU UN OBJECTIF

_____

_____

# JOUR 351 DATE:__/__/___

## L M M J V S D

### BIENVENUE DANS VOTRE JOURNAL QUOTIDIEN

### EXPRIMEZ VOTRE GRATITUDE AUJOURD'HUI

### POUR VOS ASSISTANTS

_____

ÉCRIVEZ UNE NOTE PERSONNELLE OU UN OBJECTIF

_____

_____

_____

# JOUR 352

DATE:__/__/___

# L M M J V S D

## BIENVENUE DANS VOTRE JOURNAL QUOTIDIEN

## EXPRIMEZ VOTRE GRATITUDE POUR VOTRE PERSÉVÉRANCE ET VOTRE RÉSILIENCE

_____

ÉCRIVEZ UNE NOTE PERSONNELLE OU UN OBJECTIF

_____

_____

# JOUR 353 DATE:__/__/___

## L M M J V S D

### BIENVENUE DANS VOTRE JOURNAL QUOTIDIEN

### EXPRIMEZ VOTRE GRATITUDE AUJOURD'HUI
### POUR UNE JOURNÉE BIEN PASSÉE

_____

ÉCRIVEZ UNE NOTE PERSONNELLE OU UN OBJECTIF

_____

_____

_____

# JOUR 354 DATE:__/__/___

## L M M J V S D

### BIENVENUE DANS VOTRE JOURNAL QUOTIDIEN

### EXPRIMEZ VOTRE GRATITUDE AUJOURD'HUI POUR LES INFLUENCES POSITIVES SUR VOTRE VIE

_____

ÉCRIVEZ UNE NOTE PERSONNELLE OU UN OBJECTIF

_____

_____

_____

# JOUR 355 DATE:__/__/___

## L M M J V S D

BIENVENUE DANS VOTRE JOURNAL QUOTIDIEN

EXPRIMEZ VOTRE GRATITUDE AUJOURD'HUI

POUR UN ACTE DE GENTILLESSE

_____

ÉCRIVEZ UNE NOTE PERSONNELLE OU UN OBJECTIF

_____

_____

_____

# JOUR 356 DATE:__/__/___

## L M M J V S D

### BIENVENUE DANS VOTRE JOURNAL QUOTIDIEN

## EXPRIMEZ VOTRE GRATITUDE AUJOURD'HUI
## POUR VOTRE ÉQUIPE PRÉFÉRÉE

_____

ÉCRIVEZ UNE NOTE PERSONNELLE OU UN OBJECTIF

_____

_____

_____

# JOUR 357 DATE:__/__/___

## L M M J V S D

### BIENVENUE DANS VOTRE JOURNAL QUOTIDIEN

### EXPRIMEZ VOTRE GRATITUDE AUJOURD'HUI

### POUR VOTRE DÉVELOPPEMENT PERSONNEL

_____

ÉCRIVEZ UNE NOTE PERSONNELLE OU UN OBJECTIF

_____

_____

_____

# JOUR 358 DATE:__/__/___

## L M M J V S D

## BIENVENUE DANS VOTRE JOURNAL QUOTIDIEN

## EXPRIMEZ VOTRE GRATITUDE AUJOURD'HUI POUR AVOIR AIDÉ QUELQU'UN

_____

ÉCRIVEZ UNE NOTE PERSONNELLE OU UN OBJECTIF

_____

_____

_____

# JOUR 359 DATE:__/__/___

## L M M J V S D

### BIENVENUE DANS VOTRE JOURNAL QUOTIDIEN

### EXPRIMEZ VOTRE GRATITUDE AUJOURD'HUI

### POUR AVOIR ACQUIS LA SAGESSE

_____

ÉCRIVEZ UNE NOTE PERSONNELLE OU UN OBJECTIF

_____

_____

# JOUR 360

DATE:__/__/___

# L M M J V S D

## BIENVENUE DANS VOTRE JOURNAL QUOTIDIEN

## EXPRIMEZ VOTRE GRATITUDE AUJOURD'HUI POUR AVOIR ATTIRÉ DES GENS SYMPAS

_____

ÉCRIVEZ UNE NOTE PERSONNELLE OU UN OBJECTIF

_____

_____

_____

# JOUR 361 DATE:__/__/___

## L M M J V S D

BIENVENUE DANS VOTRE JOURNAL QUOTIDIEN

EXPRIMEZ VOTRE GRATITUDE AUJOURD'HUI

POUR AVOIR EU DE LA CHANCE DANS LA VIE

_____

ÉCRIVEZ UNE NOTE PERSONNELLE OU UN OBJECTIF

_____

_____

_____

# JOUR 362

DATE: __/__/___

# L M M J V S D

## BIENVENUE DANS VOTRE JOURNAL QUOTIDIEN

## EXPRIMEZ VOTRE GRATITUDE AUJOURD'HUI

## POUR LES PLAISIRS SIMPLES DE LA VIE

_____

ÉCRIVEZ UNE NOTE PERSONNELLE OU UN OBJECTIF

_____

_____

_____

# JOUR 363 DATE:__/__/___

## L M M J V S D

### BIENVENUE DANS VOTRE JOURNAL QUOTIDIEN

### EXPRIMEZ VOTRE GRATITUDE AUJOURD'HUI

### POUR VOTRE SOURCE DE RIRE

_____

ÉCRIVEZ UNE NOTE PERSONNELLE OU UN OBJECTIF

_____

_____

_____

# JOUR 364 DATE:__/__/___

## L M M J V S D

## BIENVENUE DANS VOTRE JOURNAL QUOTIDIEN

## *

## EXPRIMEZ VOTRE GRATITUDE AUJOURD'HUI POUR VOTRE GAGNE-PAIN

_____

ÉCRIVEZ UNE NOTE PERSONNELLE OU UN OBJECTIF

_____

_____

_____

# JOUR 365 DATE:__/__/___

## L M M J V S D

## BIENVENUE DANS VOTRE JOURNAL QUOTIDIEN

## EXPRIMEZ VOTRE GRATITUDE AUJOURD'HUI POUR DES VACANCES BIEN MÉRITÉES

ÉCRIVEZ UNE NOTE PERSONNELLE OU UN OBJECTIF

# JOUR 366 DATE:__/__/___

## L M M J V S D

## BIENVENUE DANS VOTRE JOURNAL QUOTIDIEN

## EXPRIMEZ VOTRE GRATITUDE AUJOURD'HUI

## POUR TOUTES VOS BÉNÉDICTIONS

_____

ÉCRIVEZ UNE NOTE PERSONNELLE OU UN OBJECTIF

_____

_____

_____

# JOUR 367 DATE:__/__/___

## L M M J V S D

## MERCI D'UTILISER CE JOURNAL

## IL EST TEMPS DE RE-COMMANDER

---

## DEMANDE DE RÉVISION

SI VOUS TROUVEZ CE JOURNAL UTILE,
VEUILLEZ LAISSER UN AVIS SUR AMAZON.COM
OU OÙ VOUS AVEZ FAIT VOTRE ACHAT.
TRÈS APPRÉCIÉE. MERCI.

---

9 798987 174685